“经营之圣”稻盛和夫《活法》书系之青少年版

活法

青少年版

你的梦想一定能实现

君の思いは必ず実現する

[日] 稻盛和夫（Kazuo Inamori）著
曹岫云 译

人民东方出版传媒
People's Oriental Publishing & Media
東方出版社
The Oriental Press

推荐序　人皆可圣

2009年11月1日中央电视台《商道》栏目专访稻盛和夫。当记者提到人们评价稻盛先生为“经营之圣”时，稻盛先生两次强调自己绝非圣人，只是一个极为普通的人。如果自己是“圣”的话，那么只要同他有一样想法、一样努力的人都可以成“圣”。

我认为这不是稻盛先生单纯的谦虚。他讲的是大白话、大实话，他道出了人生的真谛。如果你读了这本书，你也会得出相同的结论。

本书是稻盛先生为青少年学生以及踏上社会不久的年轻人写的书。但是我想，学校的老师、学生的家长，以及与教育有关的机构，一切对年轻人负有教育责任的领导人，乃至所有想在自己的人生中有所作为的人，都应该读一读这本书，而且你们一定会从中获益。

“你的梦想一定能实现”非常亲切质朴，而稻盛先生用这句话作这本书的书名又最恰当。我相信你在认真读过这本书以后会产生同感。

稻盛先生出生于一个贫困家庭，父母只有小学文化。家里没人督促、辅导他读书。小学考初中他连续两年落第。高中毕业，第一志愿没考上，只进了一所三流大学。毕业后的就职考试又屡屡受挫。在痛苦焦急之余，他甚至产生过加入黑社会的念头。就是这么一个世界各地随处可见的普通的少年、青年，后来居然一手创建了两家世界500强企业，成为大企业家兼大思想家，年轻时的理想不但都实现了，而且都被超越了，连他自己也觉得不可思议。

要取得事业和人生的持续成功，有两个条件。第一就是你先要做一个好人。所谓好人就是有一颗好心的人。所谓好心就是关爱他人之心。这样一颗好心要在生活和工作中磨炼才能提升和完善。第二就是你必须勤奋工作，必须付出不亚于任何人的努力。这中间自然包括每天钻研创新，也包括胜不骄、败不馁的坚韧不拔的精神。如果你做到了这两条，那么就会实现“自助、人助、天助”，你自身的潜力可以充分发挥，你周围的人会由衷地支持你，而且上帝也不吝赐予你灵感，赐予你最高的智慧——你的成功将不可阻挡。

如果说稻盛个人太突出、太优秀——他蕴藏着年轻时没有显露的杰出才能，既有技术的悟性，又有哲学的悟性，是一个特例。那么，京瓷公司后继的会长、社长、部长们，以及各个重要岗位上的骨干，他们中很多人只有高中甚至初中学历，都是很平凡的人，其中有的人很长一段时间内，连稻盛也认为他们有几分愚钝，不会有出息。但是他们几十年如一日，踏踏实实、精益求精，最后都成了出色的人才，都取得了非凡的成功，以至稻盛后来不得不对自己原有的偏见做出反省。

稻盛在书中提出了学生“在学校里学习什么？”这个最基本的问题。稻盛认为对于孩子们来说，最重要的是学习“创造性”，学会“勤奋”，学会“如何正确地做人”。这是稻盛先生的经验之谈。

本书曾在日本年轻人中引起很大的反响。日本“盛和塾”的中小企业家中，有一位名叫山田百合子的女士，她是一位身体不好、坐在轮椅上的人，但是她非常热心，义务征集同学们学习此书的读后感，不久就在鹿儿岛附近的大、中、小学生中收到555篇文章。山田女士认为这些文章篇篇有血有肉，要分出优劣简直是一种痛苦。我选取了4篇代表作，加上它们发表时稻盛的点评，放在本书的附录一里，供读者参考。

另外，稻盛先生还将此书赠送给日本全国105所少年教养院。许多失足少年的读后感更是感人肺腑。在京瓷秘书室的协助下，我获得了这些珍贵资料，我也挑选了4篇，翻译后放在附录二里。

谈到这本书的影响，还有一则逸事。日本四大报纸之一《日本经济新闻》曾刊登过一篇短文，是21岁的森小姐所写。她是2007年日本时隔48年首次获得“环球小姐”桂冠的人。当年她去马来西亚开展公益活动时，因为选美过程中有泳装展示，遭到伊斯兰教徒们的抗议示威。示威者甚至突破警卫的阻拦要冲入宾馆。森小姐虽然曾在西方留学，颇有个性，但也没见过这阵势，同时感到委屈，一个人躲在房内抽泣。她说，这时使她坚强、开朗起来的就是稻盛和夫的这本书。这是高中一位恩师送她的“魔法般的书”，她随时带在身边。这次她用了稻盛所讲的“你向神祈求过了吗？”这句话。意思是自己主观上是否已经尽到最大努力了，是否除了向神祈求之外再无努力的余地了。森小姐说，这样的自问自答能让自己在消沉中重新振作起来。

稻盛先生在接受中央电视台《商道》采访时，还称赞了中国人的商才。稻盛先生希望中国的年轻人这么想：“稻盛年轻时升学考试、就职考试连连失败，我比他强。所以我只要像他那样努力，我一定能超过他。”

我希望本书的中文版能起到这样的作用。这个意思也接近于“人皆可圣”。

曹岫云

自 序

青少年孩子们！我有话想对你们说。

我要告诉你们，只要满怀希望，持续不断地努力，人生之路一定光明。

当你烦闷时，当你对前途感觉困惑时，我建议你竭尽全力把你眼前的工作做好，坚持不懈地努力。这样做了，你前进的道路一定会展现。

我出生在九州的鹿儿岛，从鹿儿岛大学毕业，23岁时离开故乡来到京都，27岁时与7位同志共同创建了京都陶瓷公司（即现在的京瓷）。京瓷现在已成为一个大公司，日本国内员工有1.4万人，加上海外，共有5万多员工。

然而在 27 岁之前，我的人生却充满挫折。

第一次挫折是初中升学考试失败。第二年报考同一所学校再次落第，只得进了一家“垫底”的学校。高中毕业第一志愿大阪大学没考上，只好去上当地的鹿儿岛大学。大学毕业后参加就职考试，每次都不合格。多亏一位任课教授介绍，总算可以去一家公司上班，但却是一家濒临破产的亏本企业。

在第一次考初中失败后，没办法只好去上当时的高等小学，准备复读一年再考。就在此时，我患上了肺结核，在当时这是一种非常可怕的疾病。我的两位叔叔、一位叔母都死于肺结核。我会不会也就这么死去呢？我带着不安度过一天又一天。我后来对人的内心这一领域特别关注，或许是小时候就已经意识到死亡的缘故。

就这样我年轻时的人生可以说是挫折的连续。尽管如此，我没有灰心、没有气馁，我照样努力奋斗。因为每当我遭遇不幸时，总有“命运女神”及时眷顾我、支撑我，总有贵人相助。他们对我的理解和支持甚至超过我的父母。

当我患肺结核卧床不起时，有一位高等小学的老师主动代我递交升学志愿书，并在考试那天一直陪伴我、照顾我；高中毕业，当父母要我就业、我也准备放弃高考时，一位高中老师却又说服了我的父母，让我的大学梦得以实现；为了让我的技术问世，在京都刚创办公司时，京都某企业的一位董事竟用自家的土地、房屋抵押担保，从银行借来了资金。

在我人生的每个关口，都有这样的恩人相助，让我感激不尽。可以说，缺了其中任何一位，就不会有今天的我，也不会有今日的京瓷和KDDI。

正因为有许多人在我人生的各个阶段好心帮助我、支持我，我才走到了今天这一步。为了报答他们的期待，我必须把公司办得更加出色，必须为社会、为世人做出贡献，我不遗余力、拼命工作。

即使才能不足，但只要有热情、孜孜以求，成绩一样可以不亚于他人。但我认为，比才能和热情更重要的是人的心态。抱着作为人应该有的正确的想法，朝着目标不懈地努力，你的理想就一定能实现。就是说，你的人生会像你内心描绘的蓝图一样美好。这就是我迄今为止的生活经验。

在这本书里，我想一边回忆自己年轻时经历的种种烦恼，一边将上述想法向大家做出解释。

目 录
contents

序章　人生由自己内心如何描画而定

思善

人生最重要的事莫过于“内心描画什么”。

所谓“内心描画”，是指你的想法、观念、理想、希望，或者说你内心所持有的哲学、理念、思想等。这些决定了你的人生。

中国有一个叫袁了凡的人写了一本书，书名为《阴骘集》。书中讲到人有命运，但人的命运可因人的思想观念的改变而改变。

这本书写于400多年前中国的明朝，在日本是丰臣秀吉活跃的时代。下面来介绍这本书的观点。

袁了凡小时候叫袁学海。有一天，一位白发老人来访，老人说：“我在南国钻研《易经》，现奉天命，特来向学海少年传授《易经》精髓。”《易经》是中国古代就有的学问，用来卜算人的命运。

老人在学海家住下。学海自幼丧父，与母亲相依为命。老人把学海和他母亲叫到跟前，开始预测学海的前途。

“学海妈妈，你想把学海培养成医生吧？”

“是这样的。我们家从祖父起就是医生世家，这孩子的父亲也是医生，英年早逝。我想让这孩子也当医生。”

“不，这孩子不会成为医生，他会通过科举考试，当上大官，很有出息。”老人这样说。

科举考试是中国古代选拔高级官吏的一种制度，经过郡、县等地方考试，再接受上一级的考试。

老人接着说：“这孩子几岁时会参加郡里的考试，多少人中排第几名，合格后又参加县里的考试，多少人中排第几名，合格后待几年又接受上一级考试，很遗憾这次不合格。第二年再考，多少人中排第几名，合格后参加最终的国家级考试，成为中央官吏。接着，年纪轻轻就当上某个地方的长官。结婚却无子，夭寿

53岁。这就是学海的命运。”听老人这么说，学海心里觉得怪怪的。

但是后来学海的人生果然如老人所言，在科举考试中合格，多少人中排名第几，当上中央官吏，很年轻又当上了地方长官。

学海赴任不久，就去拜访当地一家禅寺，那里有一位高僧名叫云谷禅师。学海久闻禅师大名，早就想请教他。云谷禅师也听闻新任长官十分优秀，连说“欢迎、欢迎”，将学海接进禅寺。禅师邀请学海一起坐禅。看到学海坐禅时的神态，禅师非常佩服。

在禅师眼里，学海打坐时气定神闲，毫无杂念妄想。禅师说道：“你如此年轻，坐禅时竟能如此从容、毫无杂念，一定经历过严格的修炼。你曾在何处修行？”

学海答道：“不，我并无特别的修行经历。不过听禅师夸我没有杂念，让我想起了一件事情。”于是学海提到了少年时代白发老人预测学海命运的话。

实际上自己的命运一如老人所言，年轻当官、结婚无子。老人的预言全部应验。既然寿命为53岁，那么自己就该放弃一切欲望，听天由命，遵照命运的安排，淡淡地度过余生。因为抱这种想法，所以坐禅时可以毫无杂念。

听学海如此说，禅师的表情由柔和转为严肃，斥责道："我原以为你年轻、聪明、悟性高，很了不起，不料你如此愚蠢，竟是一个大笨蛋。"

"正如白发老人所言，人确实有命运。但是世上有完全顺从命运度过人生的蠢人吗？命运是可以改变的。想好事、做好事，就会有好的结果；想坏事、做坏事，就会有坏的结果。人生中存在这样的因果法则，运用这一法则，就可以改变命运。"

学海年轻当官，就是因为秉性耿直。听禅师一席话，恍然大悟。于是谢过禅师，回到家里对夫人转述了禅师的话，并说："听了禅师的话，从今天起，就要尽我所能，想好事、做好事。"夫人附和道："既然你这么想，从今以后，咱俩就齐心协力，一起想好事、做好事吧。"

《阴骘集》这部书到此笔锋一转，已更名为"了凡"的学海对儿子继续说道："儿啊，如刚才所说，你爸的人生真的不可思议。自从见到禅师，听了有关因果法则的教导，我就与你母亲一道，不断想好事、做好事。结果白发老人说的不可能出生的你也出生了，说我只能活到53岁，但我现在已年过70，你看还这么硬朗。”

我非常喜欢这个故事，常常讲给别人听。我认为云谷禅师道出了人生的真谛。

人有命运，但命运绝不是不可改变的。只要像故事中的主人公一样，思善行善，命运就会朝好的方面转变。

在这过程中，重要的是，我们要把人生中遭遇的各种各样的事，无论幸运也好，灾难也好，都看作上苍对我们的考验。当考题是“幸运”时，我们要说一声谢谢，由衷感激，不得意忘形，不失谦虚之心，再接再厉，继续努力；当考题是“灾难”时，不悲叹、不怨恨、不消沉、不灰心、不牢骚满腹，一味开朗达观、一味努力向前，做好该做的事。

无论顺利还是挫折，我们都要心存善意、排除恶念，这才是人生最重要的事。

第一章　人生具有无限的可能性

人生并非“偶然”的连续，好事坏事交替而来才是人生。青年朋友们，你们代表将来的时代。遇到挫折时请不要颓丧，痛苦的时候要坚持奋斗，奋斗必有硕果，奋斗使你的人生更加多彩，使你的人格更加高尚。

京瓷和 KDDI 的大发展

我在鹿儿岛大学毕业后进了京都一家制造电瓷瓶的公司，27 岁时辞职创建京瓷公司。

京瓷公司的诞生，基础在于新型陶瓷技术。现在京瓷利用新型陶瓷的特长，开发了许多产品，广泛应用于电脑、电视机、录像机等高科技领域。同时应用新型陶瓷技术，开发出与绿宝石结构相同的再结晶宝石，以及人工骨、太阳能电池、手机、打印机、数字照相机等终端产品。

在京瓷公司的事业走上轨道之后，我又着手创建经营长途电话的日本第二电信电话公司（第二电电，即 DDI），现在发展成 KDDI。在这之前，日本通信市场只有庞然大物般的 NTT（即名为日本电信电话株式会社的一家企业）。由于垄断，当时的电话费用、通信费用都贵得离谱。

为了降低民众的通信费用，趁着 1984 年日本允许通信自由化之际，我决定创建第二电电，在通信领域发动新的挑战。NTT 拥有铺设全国各地的通信网络，通过订购设备等对许多企业保持着强大的影响力。虽说通信自由化时代已经到来，但创办新公司与 NTT 对抗，必须承担巨大的风险。然而，与 NTT 对阵的新公司一旦建立，有了竞争，日本的通信费用就会下降。

我以开拓者的气魄创建了第二电电，接着又创立了从事移动通信的关西蜂窝电话株式会社（即现在的 au）。第二电电后来又合并了丰田汽车旗下的移动通信公司 IDO，以及国际电话公司 KDD，成为现在的 KDDI。

正如前言所述，2004 年京瓷的海内外员工总数已经超过 5 万。京瓷 2004 年 3 月期，即 2003 年 4 月到 2004 年 3 月，一年的销售额为 11400 亿日元。KDDI 的年销售额为 28500 亿日元。两者合计规模将近 4 万亿日元。这两个企业提供的产品和服务在广泛领域内为世人做出了贡献。另外，从企业盈利中交纳的税金，可用于民众福祉及社会各个方面。

现在，我所创建的京瓷和KDDI都成了巨型企业，然而当初，我一无所有，从零开始。我有的只是一种信念，我相信自己的努力到时一定开花结果，按捺躁动，激励自己，一味地努力再努力，如此而已。

另外，那么多人支持我、指导我，可以说有了他们才有今日的京瓷和KDDI。

多愁的少年时代

回顾自己的人生道路，我觉得人生真是有无限的可能性。这一点我希望年轻朋友们能够理解。

我于 1932 年 1 月 21 日出生于鹿儿岛市的药师町。七兄妹中在长兄之后我排行第二。出生时家里很忙，父母没空去派出所登记，所以户籍簿上我的生日是 1 月 30 日。

药师町位于鹿儿岛市中心的城山（小丘陵名）脚下，甲突川河边。我家里开了一家小小的印刷厂。父亲早先在别人的印刷厂打工，后来买了一台二手印刷机，把自家一间偏房当作工厂，开始了印刷业务。我就在这时出生了，小时候听惯了的机器声，至今还常

与母亲、哥哥的合影（左侧为作者）

在妹妹的“七五三”节上，作者当时是小学三年级（后排左侧为作者）

在耳边响起。为了严守交货期，父亲不惜通宵加班。父亲的敬业受到了客人的好评，订货不断增加。但是由于战争，工厂在空袭中被炸毁，父亲就此失去了工作。

父亲具备工匠气质，性格谨慎。战后母亲主张重开印刷厂，父亲不答应。因为重新开厂要借很多钱购买新设备，不敢“摸着石头过河”的父亲不愿冒险，不肯借钱。母亲再三劝告，父亲也不点头。我也讨厌向人借钱，经营企业以不贷款为信条，我觉得在这一点上我很像父亲。

家里的印刷厂总有邻居的阿姨们来帮忙，大家往往工作到很晚，这时候阿姨们和我们一家人围着餐桌吃夜宵，很是热闹。母亲不仅负担家务，而且指挥阿姨们做事也干脆利落。母亲性格豪爽，无论遇到什么困难都从不退缩。我属于乐天派，继承了母亲的开朗性格。母亲还要强好胜，每当我在外面打架落败回家，她就将扫帚塞进我手里说：“去报仇，打赢了再回家！”然后，把我赶出家门。

鹿儿岛的风气虽说是男人当家，但实际上是在外面给丈夫面子，好像男人说了算，在家里大多是女人掌权，妻子主持家庭事务。我母亲就是这样的人。

儿童时代有许多快乐的回忆，印象深的是采枇杷。爬上高高的枇杷树，采了果实直接送进嘴里，这样的事现在已经没有了，可是那个年代乡村孩子都这么干。我家也这样，偶尔父母会放下手里的工作，带领全家去樱岛采枇杷。那时的樱岛，在山坡的一面有大片的野生枇杷林。我们边采边吃，先把肚子填饱，然后将枇杷装进背袋，带回来送人。

平时的玩伴主要是哥哥。哥哥是捕鱼能手，我常常提着木桶跟着哥哥到附近的甲突川去捉鱼。哥哥用网兜接二连三把鱼虾捞上来放进木桶，我在一旁看着，欢呼雀跃。有时会抓到比大人的手腕还粗的鲤鱼。我虽然一条鱼也没捉到过，但当附近的孩子们用羡慕的目光偷瞄我们装满鱼虾的木桶时，我感到特别自豪。捉来的河虾不去卖，让母亲加盐加糖煮了吃，那情景至今历历在目。

怀念母亲的情节还有很多。鹿儿岛的传统，到了小学五年级，每年12月的“赤穗浪士复仇日”那天黄昏，学生们聚集到学校礼堂，在地板上正襟危坐，聆听校长先生朗读《赤穗义士传》。鹿儿岛虽属温带，但到了 12 月，夜里还真冷。那样的季节端坐在礼堂冰冷的地板上，脚都冻麻了，哪里还听得进校长先生的说教。但校长一直要读到夜里 10 点，结束时我们已浑身冰凉。

拖着冻得半僵的身子回到家里，母亲早已煮好了热腾腾的赤豆年糕粥在等我，那热粥冒出的香气里充满了母亲深情的爱。我一言不发，脸贴近碗，贪婪地吃起来。母亲面带着温和的笑，在一旁注视我，那情那景，终生难忘。直到现在，只要把赤豆年糕粥放在我面前，母亲的形象就会清晰地再现。

上小学前，我被称为哭虫，一旦哭开了头，可以哭上 3 个小时不停。多数情况下，我哭了也没人理睬，我就越发任性，滚到地上继续哭叫，真是一个不好伺候的小家伙。

这个幼时好哭的毛病一时还改不了。开始上学时要我自己单独去学校，我不敢。在家时我淘气，还有点嚣张，一到外面，我就腼腆甚至懦弱。

开学典礼时有母亲陪着没有问题。但第二天要我自己一个人去学校，我就哭嚷“不去上学”。没办法，开学后一个多星期，每天都由母亲陪着我上学。

那时的我，一方面害羞，怕见生人，另一方面又顽皮得很。上学后不久交起了朋友，我就感到上学很有趣。准确地说，是与小朋友们玩耍很有趣。

我上小学时，是太平洋战争爆发前不久。当时没有现在孩子们玩的玩具，我和小朋友们或到河里捉鱼，或玩打仗游戏，大家想办法出主意，尽量玩得开心。

我刚上小学时学习成绩不错，听母亲说，当时学校发的成绩通知单上，罗列的都是甲乙丙的“甲”字。

但后来我就不用功了，因为我觉得玩耍比学习更有趣。一直到小学毕业我几乎不读书，父母也从不督促我用功，所以天天玩闹，有时简直玩疯了。

患上肺结核

现在回想起来，小学时代我是生活在大自然的怀抱之中。河水是那样清澈，一到夏天，系一片兜裆就下河游泳；仰看环山，一片郁郁葱葱，让人忘记这里是街镇。山清水秀的自然环境滋润了我幼小的心灵。

1944 年春，从鹿儿岛市立西田小学一毕业，我就毫不犹豫地报考了当地的名校鹿儿岛第一中学。刚进小学时成绩门门甲等，但到毕业时都降到乙等。成绩虽不出色，但当时班上中等偏上的同学全都报名考一中，我想，只要临考前抱抱佛脚就能考上，当时想得很简单。

结果是不合格。当年的班主任对我有偏见：“一中你绝对考不上！”结果，不幸被他言中。不久前还是自己手下小跟班的那些朋友、成绩比自己更差的同学、自己一向看不惯的富家子弟，他们都考上了一中，唯独我名落孙山，不得已只好进了一家普通高等小学，准备第二年再考一中。然而，看到小学时的同学穿上一中校服神气活现，我心里一阵悲鸣。心情郁闷大概也是原因之一吧！进入普通高等小学那年年末，我患上了肺结核。

当时在中国的小叔临时回国，住在我家，他带回了虱子，我浑身被叮咬后开始发热并卧床不起。“如果是肺结核就糟了！”母亲带我到医院诊断，检查的结果是显现肺结核初期症状，病名是肺浸润。

担心我患肺结核是有理由的。住在我家偏房的大叔父、大叔母患了肺结核，不久前死了，小叔因肺结核吐血不止，正在我家疗养。那时肺结核是不治之症，家里出了病人就瞒着邻居，由亲戚在家中护理。

“这样下去我也会像小叔一样吐血，消瘦下去。”我感到恐惧，发热昏睡时常做噩梦。那时候一位邻居夫人隔着篱笆对我说：“这本书你拿去读一读吧！”说着递来一本颇厚的书，黑色的皮革书面上印着金色的书名《生命之实相》，是当时新兴宗教“生长之家”的教主谷口雅春写的。

本来是写给大人看的书，但当时的我已经意识到死亡的威胁，我如饥似渴，贪婪地阅读。书中有一段话触动了我，引起我的深思。“我们的心底有吸引灾难的磁石，它会从外界吸引刀枪、疾病、失业等。”

每当我在患病的小叔房前经过时，因害怕感染，总是捏紧鼻子快速跑过，因为我借来医书看过，知道结核菌通过空气传染。虽说捏着鼻子通过，但因为是小孩，憋不住气，到达小叔房前时忍不住，不自觉间就松了手，反倒来了个深呼吸。这大概就是我被感染的原因吧。哥哥的态度和我不同：“哪会那么容易就感染上呢！”他一副满不在乎的样子。

父亲一直在小叔身边照料，眼看小叔快不行了，父亲对母亲说：“这以后的事由我来料理，你不要再管弟弟了，不要再去那房间！”肺结核病人到了后期，结核病菌会异常增多，父亲明明知道却仍然近距离护理病人。父亲没事，大大咧咧在小叔房前走过的哥哥也没事，比谁都在意、比谁都注意躲避肺结核的我反而患上了肺结核。

“染上肺结核太可怕了！”一味想从病人处逃离的我，为什么反倒染上了肺结核？因为我只考虑自己，只想自己逃避，是我脆弱的心理引来了灾难。我开始意识到书中的道理。

怀着大爱，不顾自己的安危，照顾小叔到最后，父亲没有受到结核病菌的侵扰，而刻意躲避的我却遭病魔缠身。这原因到底何在？当时我还是小孩却对此进行了深刻的反省。那情景我至今仍然记得。谷口先生的《生命之实相》这本书给了我一种契机，让我开始思考人的心态是多么重要。

患肺结核这件事，如果今天来看，我会觉得这是上苍给我的一次珍贵的体验。但在当时，我看见大叔父死了，大叔母死了，担心自己也会死去，惶惶不可终日。在那种状态下我能获得拯救，也许就是我的心态发生了变化的缘故。同时，因为战争时空袭加剧，逼得我不能卧床，必须奔波逃命，在这个过程中我逐渐恢复了健康。

遇恩师，遭空袭

1945 年元旦刚过，鹿儿岛响起了防空警报。警报声中，高等小学班主任土井老师来到我家："和夫这孩子有特长！应让他再次挑战鹿儿岛一中。"土井老师说服了我的父母。我因结核病在家疗养，身体虚弱，土井老师代我报了名，考试那天他还特地带着我去，陪伴照料我。

但发榜那天，录取名单中仍然没有我的名字。我只觉得自己时运不济，灰心极了。发着低烧回家倒头就睡，此时空袭警报再次鸣响，扎着防空头巾的土井老师又来到我家，"是男子汉就别泄气，天无绝人之路"。他是来激励我的，而且已经帮我办好了另一所学校——鹿儿岛初级中学的入学申请书。“今天是报名的最后一天，不管怎样先考了再说。”两次考鹿儿岛一中都落第，又是病中疗养，我说：“算了，不考了。”我已经心灰意冷。父母也认为到这一步也只有就职一条出路了。此时土井老师仍然一片热心，鼓励我再考，最后我总算上了初中。如果当初没有土井老师再三鼓励，只有小学毕业的学历，我后来的人生将会怎样呢？

在土井老师的热忱鼓励下，我于 1945 年春进入了鹿儿岛初级中学。虽说迟一年上了初中，但正值战争结束前夕，因为空袭愈发猛烈，学校完全没有学习的气氛，特别是 6 月 17 日大空袭，将大半个鹿儿岛市夷为平地。

在这次空袭的大前天，因肺结核瘦得不成人样的小叔死了。这之前每逢警报响起，父亲总是扶着小叔躲进院子里的防空洞，而小叔总说：“不！哥，算了，我不进防空洞，我的病不能传染给侄儿侄女，我就在家躺着没关系。”

临近死期的小叔躺在阳光下，表情变得格外平静和坦然，似已看破红尘。小叔去世了，疏散去父亲老家的母亲和妹妹们都回来参加葬礼，遗体在火葬场火化，大家吃过斋食休息时，正是6月17日深夜——大空袭开始，父亲背着中风后手脚不能动弹的祖父，一家人都逃进了院里的防空洞。父亲因小时曾跌落河中得了中耳炎，一只耳聋了，因祸得福，征兵体检不合格，战时没上前线，此时当了街区消防队长。

我家这个防空洞挖得很深，高度超过我现在的身高，有台阶、有支柱，是街坊邻居中最结实的。

我们全家逃进防空洞，空袭愈加猛烈，父亲和哥哥仰望天空，只见空中一片红光，看来鹿儿岛将成废墟，火又从附近烧过来，这样下去我们会被烧成灰烬。不可坐以待毙，父亲再背起祖父，将防空头巾浸湿，扎在头上，逃出防空洞。我和母亲也将毛巾用水浸过扎在头上，跟着父亲逃命。那又湿又重的头巾令我至今记忆犹新。

一家人沿河朝上游方向逃命。回头看时，逃难人群黑压压一片，河对岸一片火海，许多人浑身是血，挣扎着向这边跑来，没等他们爬上岸，第二、第三波攻击接踵而来。有人身上着火在地上打滚，火光把黑夜照得如同白昼，目睹这地狱般可怕的情景，又怕炸弹投到这边来，人们到处乱窜。

我一边跑，一边又想起小叔死前决绝的神情，似乎小叔已预知今天大空袭将到来，为了不拖累我们，他要在前两天死去。

虽然小叔临终前说过："绝不可将病传染给侄儿侄女，我不进防空洞。"但小叔晓得父亲的性格，再危险也不忍放弃亲人，又要背祖父又要救自己，一定力不从心，为了减轻父亲的负担，小叔死得恰逢其时。

我家的房屋虽然奇迹般躲过了这次大空袭，但在日本宣布投降的前两天，即 8 月 13 日还是被美军的飞机炸毁了。虽然因患肺结核身体衰弱，但在奔波逃难中不知怎的，我的病情却慢慢好转起来。

房子烧掉了，印刷机炸碎了，战后我们只好集中到临时的避难所。因为通货膨胀，父亲手里的钱一天天减少。接着雪上加霜，新币发行，按人头分配，旧币不再流通，父亲剩余的钱变成废纸，我们一家连吃饭也成了问题。这种情况下，我们用铁桶取海水煮沸，自制海盐出售赚钱，母亲到黑市将自己的衣服卖给乡下人，换取大米，让我们有饭糊口。

战后的混乱中拼命求生

战后的日本非常贫困，人们普遍营养不良。美国占领军向民众发放食品，学校也有配给。当时有一种罐头，从中间切开，一分为二，加进开水，将这种被称为“牛罐”的牛肉加热，然后每人分一个。那“牛罐”的美味令人垂涎欲滴。现在有一种带咸味的牛肉味道与它相似。

当时食品极度匮乏，学生也被赶去开荒种红薯。有一天，要登上一个山坡劳作，大家又饥又渴，筋疲力尽。于是有人提议“弄点红薯烤了吃，增加营养”，四五个人到附近偷了些红薯，在田头一角点火烤了起来。因为怕被老师发现，大家小心翼翼，有一个人还拼命将烟驱散，但还是让老师发觉了。老师大怒，不但红薯没收，而且当着大家的面，用脚把红薯踩得稀巴烂。

战后，鹿儿岛市中心已成一片废墟。我们只好在避难地附近借房住下，在那儿我们开始偷偷地酿造烧酒放在地板下面。我还去过宫城县的都城，买酿酒用的曲霉。米粒上长满白色的霉菌，我买一两升这种米曲霉，用腰带包扎，搁在肩上带回家。将这种曲霉放进红薯中，然后蒸，再然后捣碎、冷却、搅拌，放进壶里密封，放置一段时间，里面的东西就会发酵产生葡萄糖，最后变成酒。如果放置太久，就会氧化变酸，所以蒸馏要恰到好处。开始流出的烧酒像水一样，稍后像伏特加般的烈酒流出，再过一会儿又出来度数较低的烧酒。让这些液体流进大桶，按适当比例调和，调整烧酒的度数。我曾去鹿儿岛市内的计量器具店，买来比重计，通过测量液体比重，正确地掌握酒精含量。

出去卖的时候，把两三升酒放进水枕里，挂在身上出门。当时买的人很多，不愁卖不掉，但是蒸馏通宵进行，红薯发出一种特殊而强烈的味道，如果让附近的人发现，被举报就要倒霉，所以不久就停了。

每天去上学，从借住地到市内的鹿儿岛中学距离很远，只好乘国道上行驶的卡车，有的卡车收钱，有的不收。早晨的卡车里，学生们挤作一团，那时，卡车的装货车厢里没有抓手，司机如果野蛮开车，在道路的转弯处，甚至会把大家甩到庄稼地里。

后来我的身体慢慢恢复，学习上也逐渐用功。再也不想遭遇以前那样的惨败，我就以成绩差的数学为重点，把小学五六年级的教科书都翻出来，重新学习一遍。就从那时起，数学反而成了我最得意的科目。

升学愿望和卖纸袋

初中三年级时，教育制度发生变化，变成现在这样的“六·三·三”制。旧制初中分为新制初中和新制高中两部分。父亲希望我尽早参加工作，我自己也想在初中毕业后马上就职。当时，哥哥从旧制初中一毕业就去国铁上班了。因为父母实在太辛苦，我是老二，也想初中毕业后就做事，可以减轻父母的负担。但是，有了新的学制以后，班上的同学都想上新制高中，我也产生了想升高中的念头。

这时，校长兼数学老师的辛岛先生也劝我说：“你也该去上新制高中。”家里兄弟姐妹多，生活困难，这点我清楚，但是周围的同学几乎全要升学，我感到很困惑。父亲要我就业，我恳求父亲，并保证高中毕业后一定马上工作。父亲总算同意，于是我就进了新制高中——鹿儿岛市立第三高级中学。也许是偶然吧！辛岛老师也转到了这个学校，并担任我们的班主任。

不久鹿儿岛市立第三高级中学又改成鹿儿岛商业高中。为此，两年后我们和辛岛老师一起又转校到新制的玉龙高级中学，编进三年级的班里，所以后来我成了玉龙高中的首届毕业生。

没有上大学的打算，准备高中毕业就去当地的鹿儿岛银行上班。因此每天上课一结束，我就和同学一起玩业余棒球，我非常热衷，经常玩到很晚。有一次被出门卖米的母亲撞见，母亲非常生气，斥责说："我们这么辛辛苦苦供你上高中，你却玩疯了。"

母亲这句话触痛了我，引发我深刻反省，我当即放弃了棒球游戏，同时开始帮父亲卖纸袋（做纸袋是当时父亲的家庭副业）。第二次世界大战前，家里除了搞印刷之外，还做纸袋。在自动制袋机购进之前，纸袋是雇用附近的阿姨们手工制作。父亲用菜刀把几百张纸一口气裁好，阿姨们按尺寸折叠，用糨糊粘成纸袋。因为有这个记忆，我建议父亲说：“爸爸，还做纸袋吧，我来帮你卖。”做纸袋一事就重新开始了。

纸袋有大小10余种，我把纸袋装进竹筐，堆得高高的，放在自行车后面的行李架上，那时的自行车行李架很大，由于纸袋很重，自行车前轮甚至会翘起来。

把纸袋卖给各家店铺时，开始是走到哪里卖到哪里，后来我发现这样做效率不高，于是就将鹿儿岛市区分为7块，每周7天，每天只去一处，如此循环。平日学校一放学，我就立刻回家，骑上自行车出门，星期天也不休息。从大的糕点商到胡同里的廉价点心店，踏着自行车到处推销，一家接一家开拓客户。初生牛犊不怕虎，当时的我正像一名非常勤奋的推销员。有时嘎吱嘎吱地推开店家的门，高声说：“对不起，有人吗？”这时出来一个同我差不多年龄的女孩，一看见我，羞涩的脸孔霎时涨得通红，不作声就跑掉了。

当时的鹿儿岛市区有五六处黑市，去那里可以做批发生意。那里有威力十足、说话干脆的大婶。我去了几次，她们就“小孩、小孩”地招呼我、照顾我，有时纸袋卖剩下一些，她们就会说：“都留下。”她们

高中时代与朋友在一起（左侧为作者）

全买了。熟识的大婶还把我介绍给别的阿姨，她们叫我“卖纸袋的小孩儿”，这个称呼在黑市里居然非常有名。

有一天，我照例蹬着装满纸袋的自行车，路过一家店门，一位大婶叫住了我：“是你吧！卖纸袋的小孩儿，我这里是糕点批发店，鹿儿岛有很多小店从我这里进货，他们希望纸袋也一起买。如果你的纸袋放我这里卖，数量可以翻几倍呢。各种大小纸袋放在货架上，卖完了补足就行。”听她这么一说，我心想还有这样的好事啊。数量翻番，但价格要打折，通过这家批发店的买卖方式，我了解到了流通业的一个侧面。

在这过程中，听到消息的其他糕点批发商也来订货，福冈县许多糕点批发商都有了稻盛家制造的纸袋。大量订单，让我和父亲忙得不亦乐乎，因此雇了一位初中刚毕业的孩子做帮手，还为他买了一辆自行车。

我在自行车鞍座下挂一个和尚用的布袋，把从各家收来的纸袋钱塞进去，每次都是塞得满满的现金，带回家交给父亲。父亲一只手拿算盘，花老半天计算结账。作为外行，我的生意大获成功，听说在我连续的攻势之下，福冈县别的纸袋业者纷纷败退。但在价格核算上我们并不精明，黑市的大婶要求“再便宜点”，我们也就让步了。如果核价再仔细一点，我想收益还会更多一些。不过现在回想起来，卖纸袋的经历非常宝贵，甚至可以说我后来事业的原点，就在这纸袋的经营之中。

但是到了新制高中三年级，这个生意连同雇用的帮手一起移交给了我哥哥，我开始专心学习。本打算高中毕业后马上就业，但那位辛岛老师又动员我说：“高中毕业就结束学业，太可惜了！稻盛君，目标是上大学，加油啊！”

我的萤雪时代

学校一放学就热衷于棒球，棒球停了就专注于卖纸袋，我从没有做过考大学的应试准备。而我的一些好朋友，在我做生意期间，刻苦学习，准备应考。说心里话，有时我好羡慕他们。

有一次，我从友人那里借来一本应试杂志，名叫《萤雪时代》。这本杂志面向应考生，宣传上大学的好处。我从这位朋友处借了一本他已经读过不要的过期的《萤雪时代》，回到家一口气读到深夜，由此我产生了要上大学的强烈愿望。

在学校里，同学和老师也一再谈到上大学的话题，受其影响我也越来越多地考虑上大学的事情。哥哥恳求父母说："兄弟姐妹中就让和夫一人去上大学吧！"一听这话，父亲就火了："本来讲只上高中，我允许了，现在又得寸进尺要上大学。"辛岛老师听说后看不过去，特地来我家拜访父亲，说道："我很期望让和夫君去上大学。"

老师走后，父亲说："要么考帝国大学，要么就算了。"父亲所说的帝国大学就是九州大学。父亲提出一个难考的大学，目的大概是让我知难而退。到学校征求老师意见，我说："想考九州大学试试。"老师建议说："去福冈还不如干脆去考大阪大学。"老师之所以推荐我考阪大，是因为在不久前举行的全国统考，也就是升学适应性统一考试中，我的成绩在全福冈县名列前茅。

决定考大学以后，我开始拼命用功，同学们睡了我还学习。因为高中前半段学习时间较少，为了奋起直追，这时我比谁都刻苦，终于在全国适应性统一考试中取得了好成绩。

阪大没考上，进了鹿儿岛大学

因为少时患过肺结核，我就想考大学医学系药物学专业，立志成为一名研制新药的专家。那天我乘夜行列车赶到大阪，参加大阪大学医学系的招生考试。一名乡下新制高中的毕业生，居然敢挑战阪大，说明我底子不错，也很有信心。“这次就看我的了！”当时我想。

结果事与愿违，还是没考上。因为有过初中升学考试失败的痛苦教训，这次我是拼命了，结果仍然失败，精神上很受刺激。因为没有休学一年再考的资本，为了不致一滑到底，只得去考开考日期较晚的鹿儿岛大学工学系，这次总算是合格了。

鹿儿岛大学后来转成了国立大学。当时我想，姑且先进这所大学再说，先在工学系应用化学专业学有机化学，这离药物学比较近，在这里学一年后，第二年再考阪大。然而，家里经济条件不允许，说实话，让我上鹿大已经是勉强维持，再考阪大的梦想根本无法实现。

当时鹿儿岛大学工学系有化学、电器、机械、建筑四个专业，整个工学系同级生只有60多人，所以平时同学们彼此不分专业，互相交往，相当亲密。其中有一位化学专业的同班同学，平时不来学校上课，整天玩弹子机（一种日本产游戏机）。

大学毕业后这位同学进了商社，一直从事与电子器材有关的工作。他比我大一岁，因为留级才同我一个班。他每天都去弹子房，是一个爱玩的“不学无术”之人。

与他相反，我那时是一个所谓“死抠书本”的人，什么弹子机之类从没碰过。看我太死心眼，有一次他来邀请我：“稻盛君，玩过弹子机吗？”“没，没有。”“那我带你去玩。”他说。

于是他就把我带进一家弹子房，位于鹿儿岛最繁华的街道。还塞给我一两百日元：“你也来玩一玩！”当时的弹子机是手动的，把弹子一个个放进洞里，手一拉就打出去了。说心里话，弹子房这种地方我实在不想去。我算一个好学生，跑惯了图书馆，对他这种“白相人”还有点瞧不起：“这么散漫，不学习，还留级。”但他主动约我，我不好意思推辞，不由得跟着他来了。

“还是赶快回去学习好”，我一边想一边面向弹子机打了几下，还没弄清怎么回事，一会儿就输光了。而那位留级朋友，形势大好，盒子里落满弹子。我瞧了他一会儿，感到周围很嘈杂，心里不舒服，说一声：“我已输了，我要回去了。”就回校了。

“吃一惊面条”的美味

“喂，去弹子房吧！”没过几天，这位朋友又约我了，我心里不愿意，但盛情难却，又跟他走了。到后来，我又一拍他的肩膀，说声“我回去了”，就离开了。

大概是第三次吧，我又说我要回去，他马上挽留我：“稻盛君，稍等一下嘛，我这里也快完事了。”

那天，还有一位绰号叫“铁五郎”的爱玩闹的人在场，他的个子比我高，输了以后也站在一旁观看。与这位学习成绩挺差的“铁五郎”并排站着，我想当时我的脸上露出了尴尬和鄙夷的神色。

终于一起出了弹子房，这位朋友大大咧咧，把我们领进了隔壁的一家大饭馆，因为是昭和二十年代

（1945—1955 年），说是大饭馆，也不过是临时搭建的一个大棚子。但那里卖一种很出名的面条，叫“吃一惊面条”，一碗面里放两个鸡蛋，当时已经算是很难得的“盛宴”了。他很大方地请我和“铁五郎”吃那个“吃一惊面条”。

打弹子赢了钱，不是自己一个人独占，而是很慷慨地和朋友们分享。他这种行为，好比当头一棒，让我深受触动。他的形象在我心里一下子高大起来了。

自己掏钱，邀请一位从教室到图书馆两点一线来回跑的同学，让他出来玩，让他认识社会，增长见识，见他玩得没劲，又用自己打弹子赢的钱请他吃饭。这简直是大人物的胸襟，而我却一直对他抱有偏见，认为他“整天不务正业，还留级”。

人家一片好意，掏钱让我去玩，要让我快乐，我却不快乐，输了说走就走，一点不顾人家的面子。这样看起来，自己还真是一个器量狭窄的小男人，离成熟的男子汉还差得远呢。我开始自我反省。

大学四年级时，我和这位同学一起参加实习，是到宫崎县日南的一家纸浆厂，为期一个月。碰到研究上的难题，实习中他不懂的地方，我教他；在企业里如何与人打交道，如何玩乐消遣，他教我。他很有大人腔，与社会上的人能够平等从容地相处。而我总是怯生生地跟在他后面。“呵，这种场合，原来该这么打招呼啊。”我跟他学了不少。

最近，在一次同窗会上提到当时的情形，我说：“现在，我在各种场合给别人讲‘该如何做人’，当初这可是你教我的，你的教导渗入了我的血肉，一直在起作用呢。”他听了只是笑笑，说：“是吗？真有那样的事吗？”

在鹿儿岛大学的那些年，家里经济不宽裕，我要靠奖学金、靠打零工才能支付学费，来去只有身上穿的一件夹克，脚上穿的一双木屐，很是寒酸。

学习很刻苦，因为买不起参考书，只好天天进图书馆。为练身体进了“空手道”部，也只有一件单衣，只是徒手练功，没有道具。度过了那样的大学年代，我总算迎来了毕业。

参加黑社会也能度过人生吗

穷人家的孩子好不容易上了大学，毕业后就想进一家好公司，多拿一点薪水。大学的老师为我介绍了多家公司。

但是，我毕业的1955年，正是经济不景气、就业很困难的时期。与公司老板没有亲属关系，没有门路，休想进好的企业。

我在工学系应用化学专业成绩优秀，做梦也想发挥专长，希望在当时方兴未艾的石油化学领域有一番作为。由应用化学专业教授竹下寿雄先生推荐，我去帝国石油等多家石油企业应聘，结果没有一家肯录用我。成绩好有什么用，缺乏有力的背景，一个新制大学的学生，人家不肯问津。

这时我开始埋怨："这个世界为什么如此不公平呢？"从少年时候起，自己想走的路，没有一条顺利：考初中失利，第二年再考又落第，无奈之下，进了一家垫底的初中；后来升了高中，考大学第一志愿又落空；现在想应聘又屡遭挫折。

自己想做的事全部受挫，运气太坏了！我心里产生了一种扭曲的自信："别人抽签都可能中签，我抽签绝对中不了。"命运捉弄我、抛弃我，无论我做什么，无论我怎么努力，我都不会成功——这几乎成了我当时确定的信念。

那时我突然冒出一个念头："干脆与这个社会对着干，来个玩世不恭又怎样。"战后刚过去10年，依然是世态炎凉。我想："既然进不了好公司，大学毕业后当一个知识型的暴力团员，或许也是一种不错的人生选择。与这个冷漠而不公正的社会比起来，黑社会不是更讲究义气吗？自己练过空手道，手劲可不小。"当我在沉思中惊醒时，发现自己已经在鹿儿岛繁华区暴力团的事务所门前徘徊了很久。

年轻的读者朋友们，当你们遭遇挫折时，你们会问：“为什么偏偏要让自己这么倒霉呢，难道自己做过什么了不得的坏事吗？”对这个社会你们会产生憎恨厌恶之情，我在年轻时就有过这样的情绪。反正这个社会怎么也搞不好，愤世嫉俗又有什么不对？我有时就这么想。

人生不会总倒霉

但种种烦恼痛苦过后，我又修正了自己的想法："一味地怨天尤人，不会让自己的人生时来运转。确实，到现在为止，我一直运气不好，做什么都不顺利。但相信上苍一定会一视同仁，23岁以前，我遭遇许多不幸，但在以后的人生中，上苍也许会授予我幸运。所以我要积极开朗，要努力奋斗。"人生总要努力向前，不管有什么苦难，都不应该放弃希望——靠这种信念的支撑，我终于没有跨进黑社会的大门。

这时，大学的竹下老师给我介绍了京都的"松风工业公司"——一家制造输电用绝缘瓷瓶的企业。竹下老师说："那里我有熟人，已同意录用你，你看怎样？”我当即低头表示感谢：“那就拜托您了。”心里说不出的高兴。

但是，瓷瓶以及陶瓷属于无机化学的领域，和我的专业有机化学不对口。这家公司需要研究陶瓷的毕业生，于是我就急忙找了一位无机化学的教授，以鹿儿岛入来町地区出产的一种优质黏土为对象，进行了半年的研究，作为研究成果，写了篇毕业论文。

决定去就职的松风工业，是日本第一家制造耐高压绝缘瓷瓶的公司，曾经风光一时。听说是京都的“名门企业”，而且是制造瓷瓶的有实力的公司，父母就放心了。为了表示祝贺，哥哥还特地给我买了一套西装。

我带着手头仅有的一点钱，从鹿儿岛来到京都，进入松风工业公司。但我很快发现这家公司的经营状况非常严峻，等候发薪的一个月内，我凑合着，好歹熬过去了，但到发薪日，公司却告之说：“发工资的钱还没准备好，请大家再等一星期。”无奈等了一个星期，公司又说还要再等一个星期——公司的资金周转十分困难。

带着父母兄弟的鼓励和期望，好不容易来到京都，想不到自己职业生涯的开始竟如此寒酸，如此狼狈。

下班后去车站附近的小店买菜，店里的大叔对我说："你在那样差劲的公司做事，以后怕老婆也讨不上呢。"听了这话，我的情绪越发低落。

就这样，我的前半生可说是挫折连连，真是干什么都不如意。但是现在回头看，我意识到，这种种挫折乃是上苍为提升我而特意赐予我的磨炼和考验，人的能力正是在这种磨炼和考验中才能无限伸展。

下面一章，就来回顾我的职业生涯。

第二章　理想一定能实现

遭遇艰难困苦而想要摆脱，这就是人。想要摆脱却怎么也摆脱不了，这种情形往往居多。倒霉也罢，厄运也罢，忍受它们，保持开朗的心境朝前看，坚持努力、不懈怠，这就是人生。我的人生就是这样，靠着开朗的心境和不懈努力，我实现了自己的理想。

进入亏本企业

在我就职的1955年，包括我在内，松风工业共招收了5名大学毕业生，这5名新员工每天碰到一起就是发牢骚："进入这家破公司是我们5个人的不幸，在这里没有前途，赶快想办法辞职。"

就业难的时期靠老师帮忙才进了这家公司，进来后却没有自豪感，一天到晚牢骚满腹。进公司不足两个月，就先后有两人辞职。到这一年的秋天，又走了一人，只剩下两个人，其中一人当然就是我，另一位是来自九州天草京都大学的毕业生。

我们两位知道，老是抱怨也没什么意思，但公司前景不好，留在公司没有前途，还是要设法尽早离开。

话虽这么说，实际上却没有一家别的公司肯接纳我们。

无奈之下，我们商量的结果是报考自卫队。我们两人趁休息日去京都市西京区叫“桂”的自卫队事务所领取了志愿书，为进入干部候补生学校，还在兵库县伊丹市的自卫队驻地接受了考试，考试顺利通过。

破公司剩下我一人

进自卫队干部候补生学校需要户籍抄本，我们立即发电报要家里寄送。来自天草的那位朋友的户籍抄本很快寄到，而我的鹿儿岛老家不管我如何催促，却迟迟没有寄来。后来才知道，大我 3 岁的哥哥听说我要辞职很恼火，不肯将抄本寄出。

当时我的家乡鹿儿岛还没有从战后的混乱中恢复过来，我们家的生活依然贫困。一家人含辛茹苦地供我上大学，毕业后好不容易进了京都的公司，而我却不满意，整天嚷着要辞职，哥哥认为这简直是胡闹，不可容忍。

哥哥自己不上大学，初中一毕业就去工作，妹妹也为我做出牺牲，很早就参加了工作。哥哥来信斥责我，他写道："家里省吃俭用让你一个人上大学，本指望你有出息，毕业后能为家里做点贡献，让家里生活宽裕一些。而你一进公司就说公司的坏话，还要辞职，这样下去你想干什么？公司肯接纳你，就凭这一点，你就应该感恩，应该好好干！"

结果，那位朋友去了自卫队干部候补生学校，我没去成。令人讨厌的这个破公司最后只剩下孤单单的我一个人。

松风工业利用普通的陶瓷原料烧制输电用瓷瓶，所谓瓷瓶，是一种高压线绝缘用的陶瓷部件。我进公司后被安排在研究室，从事高频绝缘材料的开发研究。当时公司指示我说："新的电子时代必将到来，比起制造瓷瓶，开发新型陶瓷材料更有价值，这种材料在电子时代一定会大有可为，你就干这个吧。"

"在这破公司干下去真够呛，一起辞职吧。"5个发牢骚的同期大学生只剩了我一人。"反正已经无处可去，再怎么怨天尤人也没有用，干脆就埋头研究新型陶瓷吧。"我就此改变心态，就是说，既然有工夫去发牢骚、鸣不平，还不如全身心投入研究，真正全身心投入了，注意力转移了，也就感觉不到不平和不满了。

想法一变，我的生活节奏也立即改变了。过去，工作一结束就回宿舍做饭，而当我专注于研究后，就觉得回宿舍要花时间太可惜，干脆将做饭用的锅盆之类搬进研究室，放在实验室旁边，用公司的电热器做饭。吃、睡都在研究室，将全部精力倾注在开发研究上。

可喜的是，当我聚精会神投入研究后，出色的科研成果居然一个接一个地出现了，因此受到了研究课课长的夸奖。

很快我的工作情况又传到了公司领导的耳朵里，公司的常务董事特地来到研究室，大声地激励我。和过去满腹牢骚时完全不同，上面领导的关心和鼓励，更让我觉得工作和研究很有趣，对待有趣的工作，我自然更加投入。不久前还嚷嚷“要辞职，要辞职”，但此时的我，虽然还只有23岁，却已经想到：“这样干下去，靠自己的研究，我可以让这家亏损企业扭亏为盈。”

与每天发牢骚过日子不同，因为受表扬并对工作产生兴趣，因而越发努力，这样，生活便进入一种良性循环。这种良性循环是人生中最重要的事，对这一点，后来我感触颇深。

研究成果被松下电器集团采用

研究开始后约一年半的时候，我成功合成了一种新的陶瓷材料，叫“镁橄榄石”。这种材料由美国的GE公司在一年之前开发成功。就是说，我开发的新材料是日本第一、世界第二。

怎样才能将这种新材料商品化呢？正当我苦苦思索的时候，松下电器集团中的松下电子工业决定采用我开发的新材料。当时松下正同荷兰的飞利浦进行技术合作，开始生产电视机。

松下注意到，我开发的高频绝缘材料具备优良的性能，可用于制造电视机显像管中的U型绝缘部件。我们终于获得了松下公司的订单，这是我生平第一次让自己研究开发的成果用于工业化大批量生产。

刚进企业时，我曾经满腹牢骚，现在却可以用开发出的新产品来帮助企业。整个企业的生产贫乏冷清，只有我这个部门订单充足，而且产生了利润。大批量生产所需的机械设备，也按我的设计要求请人制造，用这种机器生产出的绝缘部件被源源不断地运往松下电子工业。

为了完成松下电子工业的订单，生产线上需要增加工人。我专程去了当年京都车站前的职业介绍所，挑选年轻员工，选择的条件是健康、有朝气、成绩优秀而且人品好。这时离我进公司还不到两年。

这些挑选来的年轻技术员、我的研究助手，如果也像我进厂时那样，对企业不满，发牢骚、要辞职，那么对工作肯定不利。

我找时机，同他们一起在操场上打棒球、练拳击。企业很穷无法提供好的待遇，我只能千方百计营造一种让大家愉快的工作氛围。

在松风工业神足工厂前

冒破坏罢工的风险也要维持生产

我开发的绝缘材料和产品，松下电子工业已必不可缺。可是很遗憾，当时在松风工业公司内部，经营者和员工之间的对立非常严重，每年都会发生多次罢工。

一旦罢工，就要中断向松下电子工业供货，给客户造成伤害。考虑到这点，我决定，即使要冒破坏罢工的风险，我这个车间的生产也必须持续，必须保证如期向客户供货。

破坏罢工在当时可是一个大胆的举动。罢工发生时，就不允许进工厂、车间以及研究室，就是说你回宿舍后第二天就进不了研究室，如果这样，向松下电子工业交货只能中断。因此我这个部门的成员全部住在车间里，用这个办法来维持生产。

产品生产出来以后，从围墙上投下，让等在公司墙外的女员工接住，再由她送往松下电子。用这种有点惊险的方式，维持了生产和送货。说句题外话，当时在墙外接货并向松下电子送货的那位女员工，就是我现在的妻子。

尽管我们这个部门尽了最大的努力，但是松风工业整体业绩仍然每况愈下，赤字增大。而在这种严峻的形势下，我们这个研究部门却不断有新工作、新课题必须完成。

当时还是真空管时代，日立制作所正开始开发一种小型陶瓷真空管，日立依据美国的研究成果，准备制作超小型陶瓷真空管，为此要求松风工业提供相应的材料，这个任务自然又落到我的头上。

我竭尽全力地投入研究，但是迟迟不见进展，在这件事情上，与公司的技术部长产生对立意见，结果是我辞职离开公司。

持续付出不亚于任何人的努力

这时有人提出："难得有这样的研究成果，中途放弃太可惜了，我们来帮你办一家公司吧！"昭和三十四年（1959年）京瓷的前身，京都陶瓷公司应运而生，资本金300万日元。当初创业的经过准备在下一章详述。

京都陶瓷公司成立后，我时时抱着一种深刻的危机感："如果我失败，不仅意味着背叛好心出资为我设立公司的各位股东，而且可能让员工们流落街头。"于是，每一天我都拼命地工作。也正因为一直持续付出这种不亚于任何人的努力，京瓷才能不断发展壮大，得以达到今日的规模。

地方大学毕业，没有门路，靠老师的介绍才进了一家亏本企业，一度自怨自艾。为什么像我这样一个才能并不出色的人，能够创办京瓷那样的大企业呢？不知疲倦、从不懈怠、踏踏实实、持续付出不亚于任何人的努力，这就是答案。回顾人生，我认为最重要的就是“永远持有明确的目标，并朝着这一目标，孜孜不倦地努力、努力、再努力”。当京瓷功成名就时，不骄傲，依然持之以恒，精益求精，持续进行拼死的努力，这才换来今天的成就。

人的成长都是靠一步一步、实实在在的努力积累起来的。年轻人对眼下从事的工作往往抱着消极的态度：“做这么简单无聊的事情能有什么出息！”我刚进松风工业时也是这样的心情。

在研究室工作时，为了做研究，我每天都要在玛瑙制的乳钵里将原料混合，或整天开动粉碎原料的罐磨机，这罐磨机中有若干小型研磨球，靠研磨球不断滚动将原料粉碎。

最初，我并不特别留心，只是按使用罐磨机进行原料粉碎及混合的常规方法作业，但有一次，一位老技术员使用刷子仔细清洗罐磨机的情景吸引了我的注意。

这位前辈也是搞原料混合的。罐磨机中研磨球经常会有伤痕或缺损，在它的凹坑中黏附着上次实验留下的少许粉末，这位前辈先用刮刀将凹坑中的粉末剔除，再用刷子将球清洗干净。我一边看着，一边想："一个大学毕业的汉子却干着这么琐碎的小事。"

在实验过程中，有几次结果同我预想的不同。"究竟是什么原因呢？"我百思不得其解。突然，那位前辈的形象在我眼前浮现，一瞬间，我感觉头上仿佛让人猛击了一掌。

"原来如此啊！因为洗研磨球时马虎粗心，前次实验的粉末，虽然只是少许，却留在了球的凹坑里。就因为混入这一点点粉末，使得陶瓷的性能发生了微妙的变化。"

那位前辈将罐磨机仔细清洗之后，又用挂在腰间的毛巾认真擦拭。"连洗刷这么单纯的作业竟也要做得如此彻底！"我当时很是感慨。

有关陶瓷的教科书上写得很简单，就是将原料的粉末混合后成形，再在高温中烧结，成品就出来了。但实际上，照书本做却做不成，需要自己反复试验，经过艰苦努力之后才能弄懂。那位前辈只是一位脚踏实地、默默无闻的技术员，但是他那认真洗刷器具的背影却教给了我重要的道理。

从那以后，不管多冷的天，在实验室后面的食堂里，我都要用冷水仔细清洗罐磨机，认真察看有无杂质残留，然后用腰间的毛巾将它擦干，以备下次实验再用。

就这样，或用玛瑙乳钵和罐磨机将原料混合，或将器具清洗，我日复一日，不厌其烦地做实验。一边努力工作，一边不由地想："自己大学毕业从事陶瓷研究，每天却做这种琐碎的事，将来能有出息吗？"虽然将热情倾注在研究工作上，但内心一直抱着对于将来的不安。

实际上，像我一样从事陶瓷研究的人当中，有很多人或者进了大公司，或者留在大学搞研究，那里有漂亮的实验室，有精密的仪器设备。其中特别优秀的人才，还能通过互换留学生的机会，取得去美国大学留学的资格。

相比之下，我却只能在亏本企业破旧的实验室里，日复一日地混合原料，洗刷器具。

“一辈子这么干下去，到底会有什么成果呢？”我感到焦躁，有时甚至情绪消沉。

与消极情绪做斗争

当学生时，学习是苦差事，就业后，如果天天勤恳劳作却看不到前途，情绪也不免低落，我那时的情况就是这样：“天天干这个，前面的道路能光明吗？”

“这样的工作干下去，自己的一生也许就完蛋了！”一方面我这么想，但另一方面，我又想：“我现在做的事情虽然一点都不显眼，但是这么踏踏实实、一步一步地积累，看起来像尺蠖虫，但最后应该会产生出色的成果。埃及那巨大的金字塔，不就是人们花工夫用一块一块石头堆砌而成的吗？缺了这具体的作业，金字塔就无从建起。”每当我心情郁闷时，我就强迫自己向好的方面去想：“现在我是用玛瑙乳钵将原料混合，这看来是琐碎的事，但是辛勤工作的积累一定会带来伟大的科研成果。”

就这样，我总是从积极的方面自问自答。尽管嘴上发牢骚说“要辞职，要辞职”，尽管内心很苦恼，弄不清“究竟辞职对，还是留任对？”。一个破公司，别人都辞了，就业难的时代没处可去，但仍想辞职。当我这么想的时候，我都反复地自问自答。

与我相同处境的人辞职以后，有的人生道路走得顺畅、很成功，有的就很失败。同时，坚持留任，在不好的公司里拼命奋斗，最后出人头地、人生美满，这种情况也有。那么，究竟是辞职对呢，还是留任对呢？这样的“禅问答”一直在我心中挥之不去。

但是有一点我的感觉是强烈的，就是“不管是辞还是留，如果只是牢骚满腹而不认真做事，人生是不会成功的”。

到了今天，我更是强烈地感觉到，尽管有烦恼、有痛苦，我却一直孜孜不倦地、精益求精地工作，就靠着这种持续的、非凡的努力，终于成就了伟大的事业。

“持续就是力量”这是至理名言。人生最重要的就是“持续”，就是“持续做好一件事”。即将参加工作、开始踏上人生道路的青年朋友们，我要告诉你们的就是“踏踏实实、一步一个脚印，持续努力地工作”；就是“把分配给自己的工作当作天职，一辈子持之以恒，努力不止”。想要获得充实的人生，这一点比什么都重要。为了做到长时期持续地专注于一项工作，需要下什么功夫呢？我是这样考虑的。

喜欢自己的工作，不断钻研创新

第一点，重要的是“喜欢自己的工作”。

我的情况是，对最初就职的公司很不满意，但又无处可去，分配给我的工作是研究新型陶瓷，我埋头于研究后，开始喜欢上了这项工作。

我大学的专业是有机化学，新型陶瓷属于无机化学，开始时我对这项研究没什么兴趣。但我无路可逃，被迫要喜欢这项工作，于是我就努力做到喜欢这项研究。

一开始就能找到自己喜欢的工作，有这种幸运的人很少，很多人进公司后对分配给自己的工作并不喜欢，就是说这项工作是自己偶然碰上的，自己没有挑选的机会。既然如此，除了通过自身的努力，从内心去喜欢上这项工作之外，没有别的办法。想要持续地专注于一项工作，自己必须喜欢它，这一点最重要。

第二点，即使“持续”，但不动脑筋、漫不经心的“持续”没有意义，重要的是不断地钻研创新。今天做得比昨天好，明天做得比今天好，哪怕是微小的进步也要不断用心积累。这种不间断的钻研创新将带来了不起的成果。

从大学毕业直到今天，无论是搞研究、做工作还是开展事业，我总是不断地思考有没有更好的办法，不断地进行改良改善，结果是专注于一件事情，却萌生了许多创造性的事业。因此，这个“天天钻研创新”也很重要，这是第二点。

该高兴时就要高兴

第三点，“该高兴的时候就要尽情地高兴”。持续地埋头于工作、搞研究，同专心学习一样，也像僧人专注于修道，是苦差事。无论做什么，如果只有艰苦而没乐趣，就很难长期坚持。因此，有必要在工作或学习中找出喜悦和快乐。

我在一个亏本的企业里搞研究，研究出了好的成果我就很高兴，受到上司的表扬我就更高兴。就这样，我在工作中寻求乐趣，带着好心情努力持续我的研究。

大学毕业后第二年，我在实验室测定数据。我要估计某种材料会有某种物理性能，为了证明预测正确就要做实验，当我的预测被实验证明的时候，我会非常地兴奋。

这时候我会从地上跳起来，用整个身体来表达我的喜悦之情。我研究室里有一位青年助手，他毕业于京都一家名牌高中，因家庭经济困难没能上大学。这位助手帮我做测试工作，每当我出了成果高兴得跳起来时，他却始终用冷冰冰的眼光看着我。

他比我还年轻好几岁，却出奇地冷漠，有一次他竟对我说："看来你是一个很轻率的人。"

我问他为什么，他说："你老是因为小小的成绩就高兴得眉飞色舞。作为一个男子汉，值得兴奋得跳起来那样的事，应该一辈子也没几回，像你这样，仅仅看到一个好的数据，就开心得手舞足蹈，说句失礼的话，这就叫轻率、轻薄。像你这样的人，我很难从内心承认你是我的上司。"他这一席话说得我脊背发凉。

我对他说："你这样冷漠地看待事物，你的人生将很暗淡。在研究新型陶瓷这种枯燥的工作中，研究成果带来了感动，这种感动给我注入了新的热情和生活的勇气。工资很低，没有奖金，在这么穷困的企业里拼命工作，专心研究，为了将研究持续下去，我认为感动非常重要。你可以说我轻薄，但是有一点小小的成功，我就会从内心感到喜悦，我不掩饰这种喜悦，我要拥有一个乐观开朗的人生。”

一面继续新型陶瓷这项枯燥的研究工作，一面又在工作中获得乐趣和满足，我当时就是这样。在后来的人生当中，遇到各种事情，我也一样，总是因为小小的成功而感到非常愉快。因为我感悟到，这是一种精神营养，能够增添生活的勇气。是积极乐观地对待人生，还是消极悲观地对待人生，我们的人生将很不一样。

喜欢自己的公司

我埋头工作40余年，成就了多项事业。成功的理由，如上所说，全在于持续不懈、踏踏实实的努力。

要做到这一点，首先要有意识地努力做到“喜欢自己的工作”。为了使自己的努力长期持续，又要“不断地钻研创新”，并且“从工作和创新中寻找乐趣”。

后来对京瓷的员工，在这三点之上我又加上两条。一条是“喜欢自己的公司”，另一条是“持续地、拼命地努力，在绞尽脑汁之后就能获得上帝的启示”。

我踏上社会进的第一个公司是一个连年亏本的企业，我想喜欢这个公司却怎么也喜欢不起来。没有办法，喜欢谈不上，但是我努力做到了“至少不讨厌这个公司”，这种努力促成一个转机，让我“喜欢上了自己的工作”。

人往往陷入一种盲目中，进不了自己希望的公司或学校，就过分看好别人的公司或学校，过分看低自己所在的地方。针对这种心理，重要的是必须尽快摆脱“不喜欢这个工作”、“不喜欢这个公司”或者“不喜欢这个学校”这种消极态度，人生才能出现转机。

另一条“持续地、拼命地努力，在绞尽脑汁之后就能获得上帝的启示”。凡是专注于一事、伤透脑筋后获得成功的人都能理解这一条。

确定目标，朝着目标努力的时候，“怎么做才能达到目标呢？”或者“自己的做法对吗？”。人们总是这样问自己，但是往往找不到答案，感觉好像山穷水尽，走投无路。在这种情形之下，也要绝不放弃、绝不退缩、坚持努力、继续钻研创新，那么，就会在某个时刻突然出现某种力量，在背后助你一臂之力。

这是从人们内心深处发出的灵魂的呼叫，是上帝恩赐给拼死努力者的礼物，是上帝赋予他们解决问题的妙计良方。

精力充沛地过好今天这一天

前面已讲到，我年轻时，作为技术人员每天都搞研究，我从那时起就有“明天要比今天做得好，后天要比明天做得好，天天钻研创新，天天改善改进”的意识。

在做实验时，我会想：“昨天做了这个实验，今天的实验要想办法改进，这样的话，或许会出现更好的结果，更理想的数据。”于是就努力在创新上下功夫。

这样，虽然每天的改进似乎微不足道，但是，一年 365 天不断积累，甚至连续数年，那就会带来巨大的进步发展。即使做同一件工作，也不是简单地重复，而是反复钻研改进，这一点非常重要。根据我的经验，无论是研究开发，还是事业经营，这样的钻研创新都可以带来巨大的成果。

我每天专心致志投身工作，但我却不建立长期计划。京瓷公司也是这样，自创业以来，从没有建立公司的长期计划。通常，企业经营都提倡描述5年、10年的发展规划。但是，我却注重“精力充沛地过好今天这一天”，只强调短期目标。

为什么这么做？因为建立起长远规划，却无法落实，反而会让人灰心丧气，产生挫折感，引发负面的情绪和想法。因此我强调，要明确今天一天的目标，竭尽全力达到这个目标。

经常有人问我：“为什么不建立长期计划？”我认为：“今天这一天勤奋努力就可以看到明天，这一月勤奋努力就可以看到下月，这一年勤奋努力就可以看到明年。因此，与其为不着边际地思考5年、10年后的事情而苦恼，还不如无怨无悔、尽力过好今天这一天。”

年轻的孩子们，你们也抱有“想实现伟大事业”的希望和梦想吧。但是，我希望你们要懂得，实现这样的梦想，只能靠一步一步、踏踏实实地努力。没有努力，只一味描绘你的梦想，那么无论到何时，梦想仍不过是梦想而已。

人生的道路上没有自动扶梯那样便捷的工具，必须靠自己的双脚步行，必须靠自己的力量攀登。如果认为实现自己描绘的梦想有简便的手段，有捷径可走，那就大错特错了。只有像尺蠖虫一样一点一点、一步一步前行才是实现梦想最好的方法。

青年朋友们，你们或许认为："那样一步一步地走，速度未免太慢，花费一辈子的光阴恐怕也……"但是这不对！实际上，一步一步地积累会产生魔术般不可思议的几何级数变化的效果。每一天扎实的努力所产生的小小的成果，会催生进一步的努力和成果。假以时日，不知不觉之中，你就会被带入一个你自己也难以相信的很高的境界。无论是学习、工作或体育运动，这样的努力才是实现梦想唯一务实的方法。

第三章　不忘感谢

“我拼命做眼前的工作，认真解决眼前的问题，但总见不到成果，见不到进展。”青年朋友中有许多人可能这么想，但是我劝你们更加努力。“努力已达极限，比这更大的努力绝对不可能了。”如果努力达到这种程度，你或者会获得灵感，就像神给你的礼物一样；或者会出现承认你的努力、向你伸出援手的人。

创建京瓷

那是在松风工业的时候，为了开发日立制作所的陶瓷真空管，我日夜操劳。因为同一位新任的技术部长产生意见分歧，我决定辞职。见我们的开发研究一时未能有所突破，这位部长武断地说：“看来这项研究靠你难以完成，你停手吧！让别人来干。”对于这样一个对人心毫不理解的公司，再在这里干下去，也不可能实现一个技术者的梦想，于是我提出了辞职。

听说我要辞职，我的部下们一起拥进我的宿舍。大家异口同声地说：“我也辞职，跟着你干！”甚至连曾经当过我的上司的青山政次先生也说：“我也辞职，而且我来想办法筹措资金，为你办一家公司。”

青山先生将我引荐给他在京都大学工学部时的两位同班同学，京都配电箱制造厂宫木电机制作所的专务西枝一江先生和常务交川有先生。他们两人都说："稻盛君多么优秀我们不知道，但一个二十六七岁的青年能成何事？！"但是青山仍不放弃，终于说服了他们，最后连宫木电机的宫木男也社长也同意出资。

但是，要让新公司实际运营，需要设备投资，要购买烧冶新型陶瓷的电炉，需要购进原材料，需要流动资金，金额大约1000万日元。当时这是一大笔钱，我们当然没有，只好向银行借贷。

向银行借钱的时候，被青山说服出资的宫木电机的专务西枝先生主动用自家房产做了抵押。西枝先生同我刚刚相识，为了我和新的公司，居然敢于承担丧失自家财产的风险。

西枝对他的夫人说："这个家或许会让银行拿走啊。"夫人笑道："男人让男人迷住了，我无所谓。"就在这些好心人热情的支持下，我独立出来，开始了企业的经营。

经 IBM 严格锤炼，跻身世界一流行列

京都陶瓷公司于 1959 年 4 月 1 日开业，创业之初是借用的宫木电机的仓库，共有员工 28 名。

新公司的名称之所以叫京都陶瓷，是因为京都这个城市世界闻名，今后与国外企业业务往来方便。公司社长请宫木电机的宫木社长兼任，青山当专务董事，我是董事兼技术部长。但实际的经营工作都由我来承担。

宫木社长以及用房屋担保、从银行贷款的西枝先生，都有心理准备，新企业最初几年可能要亏本。但是这一年我们心无旁骛，全力投入工作，结果第一年企业就盈利了。

“如果事业失败，与我一起拼命努力的这一批人都将流落街头。”公司一开业，我就同这种恐惧不安做斗争。我想，正是这种无论如何都要成功的决心，深刻地渗透到每一天的工作之中，才使得公司第一年就盈利。

京都陶瓷成立后第5年，也就是20世纪60年代中期，收音机、电视机等电器产品的“心脏部位”开始大量使用晶体管，京瓷开发成功了与此有关的陶瓷部件，从香港的微电子公司和美国的飞兆（Faichild）半导体公司获得大量订单。

1965年，美国德州仪器公司（Texas Instruments）用于“阿波罗计划”的电子机械上，使用了京瓷制造的陶瓷电阻棒。自己制造的产品，用到了将人类送上月球这种宏伟的计划上，我们格外自豪。

1966年，我们从美国电脑巨头IBM公司接到了制造IC用集成电路基板2500万个的大宗订单。当时京都陶瓷一年的销售额不过5亿日元，而这一笔订单就达到了1.5亿日元。

京都陶瓷公司创立时（最后一排左数第六个为作者）

然而，IBM 的品质基准极为苛刻，尺寸精度与我们过去的产品相比，要高出 10 倍以上。而我们当时连测定这种尺寸精度的仪器都没有。

但是，我没有放弃。我用“将来进行时”思考问题。就是说，接下订单的时刻，凭我们的制造技术，难以通过 IBM 的检验。但经过努力，将技术提升以后这个问题就能解决。如能做到这一点，京都陶瓷的技术就能达到世界最高水准，并且获得高度的好评。

而且，这次的集成电路基板是IBM开发的应用程序“系统/360”的战略产品。世界第一的电脑企业，它的战略产品“心脏部位”的关键部件没有交给大企业做，而是交给日本的，而且属于中小企业的京瓷来做。

美国公司就是这样，只要你技术过硬，即使企业没有名气，它也下订单。与过去的业绩相比，它更看重你的技术实力本身。

这个时候，我从采购必要的设备开始，一切工作都冲在第一线指挥。而就在接下订单的这年5月，我在匆忙中就任社长。这是创业后的第8年，时年我34岁。

我当了社长之后，依旧住在滋贺县工厂的宿舍里。每天从清晨到深夜，有时通宵达旦连续作战，全力投入到产品的开发中。3个月……5个月……时间飞逝而过，总算按照客户的规格要求，完成并交付了最初的20万个产品。然而，这些产品全部没能通过IBM的检验关口，被悉数退回。开发工作必须从头再来。

你向神祈求了吗

某日深夜2点，我在车间巡视，激励还留在车间加班的员工。看见一个技术员站在炉前，双肩颤抖着抽泣。“为什么哭泣呢？”当我询问理由时，他的答复是电炉内温度无法保持均衡，所以产品尺寸总是出现微妙的差异。我说：“好了，今天去睡吧。”他却站着不动。这时我问他：“这次请一定让我们成功——烧结时，你这样向神祈求过吗？”我想表达的意思是，自己确实已经尽了最后的、最大的努力，除了向神祈求之外，再也别无他法了。

“向神祈求过了吗？向神祈求过了吗？”

他将这句话重复了几遍，然后点头说道：“明白了！让我再次重新开始吧。”于是他重新发起了挑战。

经过反复努力，终于克服了一个又一个难题。

学习也好、工作也好，有的人在稍稍努力之后，一旦遭遇挫折就放弃了，这样最终什么也得不到。必须坚韧不拔，努力再努力，不断挑战自己的极限，非如此不能成功。碰到困难就妥协退缩，事后又说：“当时如果再加把劲就成功了。”因此后悔至极、懊恼不已。成功者和不成功者的差别，其实就在于此。

就这样，接下订单7个月后，IBM终于发来了京瓷产品合格的通知。但是，这只是意味着正式大规模生产才刚刚开始，还有更严峻的挑战等着我们——数目巨大的2500万个产品必须如期交货。我们以每天24小时，三班轮休的体制，以月产100万个为目标，开足马力，满负荷生产。

两年多来，连盂兰盆节、正月都没有好好休息，连续加班。终于在限期之内交付了全部产品。当看着最后一批产品装上卡车驶出工厂时，我开始坚信：“人的能力无限！”

无论如何必须成功——这种强烈的愿望，加上持续不断的努力，使得最初被认为不可能的事变成了可能。

经由全世界首屈一指的公司彻底的锤炼，我们完成了任务，从中产生的自信是任何东西也替代不了的。京都陶瓷的集成电路基板受到了 IBM 的高度好评，被用于其主打电脑的“心脏部位”，这个消息不胫而走，很快传遍了国内的电子行业。此后，许多日本电器厂家的订单也接踵而来。

就这样，京瓷进入了快速发展的阶段。1971 年在证券交易所上市。创业后第 12 年，京瓷进入了一流企业的行列。

向巨人挑战

1983年，日本政府出台了通信自由化的政策，电电株式会社（现在的NTT）要实行民营化。“京瓷自创业以来积累的现金有1500亿日元，请允许我动用其中的1000亿日元。”我在京瓷董事会上就设立第二电电一事，谋求董事们的理解。

我提出要参与通信事业，当时被认为是鲁莽的挑战。关于创建第二电电（现在的KDDI）的决定，就是在这次董事会上做出的。

那时，日本的国内电话业务由电电株式会社一家垄断。因此日本的电话费要比国际水准高出一大截。民众都期待出现新的电话公司，通过竞争来降低日本的通信费用。

然而，向巨人般的电电株式会社发起挑战风险实在太大，谁也不愿出面成立新的电话公司。

在这种情况下，我想发起挑战。但是，当时电电株式会社的年销售额达40000亿日元，员工达33万人，是一个巨型企业。而且自明治时期以来，它构筑了完整的通信网络，业务遍布全国各个角落。

为与之抗衡而准备设立第二电电的京瓷，虽说是一个快速成长的企业，但销售额只有2200亿日元，员工1.1万人。这种抗衡如同蚂蚁向大象发起挑战。加上京瓷缺乏通信方面的技术和知识，我自己又是化学专业出身，在通信领域纯属外行。我这样的人，出人意料，居然要向巨大的NTT发起挑战，大家认为这像堂吉诃德手持长矛向风车挑战。

在这种情势下要展开如此巨大的事业，必须振奋斗志，必须明确事业的目的，必须有一个高尚的动机。首先要确认和解决我自己内心的问题。每晚临睡前我都扪心自问："我创建新的电话公司，动机是善的吗？真的没有私心吗？""没有想出风头这一类的私心吗？”“为国民的利益这个想法真的很纯粹吗？”

花了大约6个月时间，即使饮酒后回家，我仍然不忘反复自问自答。最后我确认，我的志向就是“为社会、为世人尽力”，我的动机纯粹且坚定不移。这样，我才公开表态参与通信事业。

第二电电（DDI）创立时的庆祝party（前排右数第三个为作者）

我的决定得到了许多企业经营者的赞同。1984年第二电电正式成立。而在第二电电创立后不久，国家有关移动通信自由化政策一出台，我就在董事会上提出“立即加入”的方案。移动通信在当时主要是指车载电话业务，后来扩展为手机业务。

“au”手机服务范围确定

因为长期以来我们同美国半导体行业做生意，为他们开发 IC 封装，所以我对半导体性能提升的速度，以及它体积小型化的发展速度，很早就有切身感受。

当时我坚信：“照这样的速度发展下去，可以放在手掌里的移动电话一定不久就会问世。”

然而，当时世界上，移动电话（车载电话）事业没有一家进展顺利。何况，第二电电的经营刚刚步入轨道。所以，在第二电电的董事会上，除了我和另一位之外，所有的董事全都反对参与移动通信事业。

“谁也不赞成的话，我和你两个人也要干。”我对另一位董事这么说。移动通信事业在这种情况下开始，这就是KDDI现在从事的“au”手机服务系统的开端。

此后，第二电电参与移动通信事业获得了邮政省（现总务省）的认可。但除我们之外，还有一家也提出了参与的申请。邮政省决定除NTT营业区域不受限制外，新加入的两家的服务区域只能一分为二。一个是以东京为中心的首都圈，以及以名古屋为中心的东海地区；另一个是除此之外的其他地区。这两类地区有很大差异，第二电电和另一家公司都想争取业务条件优越的地区。东京与名古屋相连的区域被称为“太平洋地带”，大城市集中，各方面的消费能力都很强。当然，第二电电很想开展这个地区的业务，竞争对手也一样，因此，两者相持不下。最终“损而后得”的信念让我做出让步，接受了首都圈及东海地区以外的区域。我将此结果向第二电电董事会做了说明。

“稻盛先生，你只拿到了包子皮，人家让你只吃包子皮，你就回来了！”

在这次董事会上我受到了责备。当时第二电电的董事会由许多日本有代表性的企业的领导人组成，他们都参与了第二电电的创业。他们责难说：“包子当中最好吃的馅给别人拿走了，我们只拿到了皮。”

手机公司的开业纪念庆典

但后来，由第二电电创办的关西蜂窝电话株式会社等移动通信企业努力开展业务，在新企业中一路领先。随着业务的不断发展，我们与在最有利的首都圈、东海地区服务的IDO公司合并。现在以“au”这一品牌展开的手机业务，非常出色，甚至正在与NTT DOCOMO一争高下。

杂草也在努力求生

通过京瓷和KDDI的经营经验，我经常向年轻的创业者们讲述一个道理，就是在这个世界上，一切生物都在为生存而拼命努力。承担未来社会责任的青年朋友们，我想给你们讲同样的道理。

比如，路边的杂草，那些不知名的杂草，它们都在拼命求生。在柏油马路的缝隙中，在夏天强烈的阳光照射下，烈日炎炎下，它们不怕天热，不惧地狭，开花结籽，顽强地生存。那么渺小的一株杂草也能忍受苦难活下去。

在柏油马路的缝隙中生长的杂草，因为拼命努力，才得以在自然界中生存。动物也都一样，都在为生存而努力，这就是自然界的规律。所以“努力”并不是什么特别的事，不过是一切生物为生存所做的理所当然的事。

在学习和工作中，有时努力了也没能成功。这时如果认为已经不可能再付出更大的努力，那么当然可以放弃。但这样半途而废，事后往往会后悔：“如果当初更努力一点就成了。”这样不断懊悔的人生最无价值。

不管条件多差，不管碰到什么困难，都必须全力以赴，可以说，这是我们在这个世界上生存的前提。不管结果如何，注重眼前的每一个瞬间，努力再努力，这就是自然界的本色。

第四章　在学校学什么

对于孩子们来说，最重要的是：在学校里学习什么？我想最重要的是学习“创造性”，学会“勤奋”，学会“如何正确地做人”。找到能够传授这些素质的优秀老师，开辟自己灿烂的人生。

为什么要受到训斥

我在读小学时，有两件事至今令我印象深刻。

一件是上社会课时，一位老师向同学们提问："鹿儿岛收获的大米为什么要运到九州去？你们认为这是为什么？"

我像平时一样，上课总开小差，寻思着："今天一放学，又可以和伙伴们一起去河边钓鱼了。"老师的话一般都当耳边风，听不进去。但这次，我忽然将注意力转向老师，听清了老师的提问。我想这个问题太简单了，说了声"我知道！"就举起了手。平时不爱学习，很少主动回答老师提问的我举了手，老师有点吃惊："稻盛君！"老师指名让我回答。

我站起来回答说："那是因为鹿儿岛的大米过剩了。"

"是傻瓜啊！你！"老师训斥道。

我不过说了我认为理所当然的原因。老师为什么要发火呢？我觉得不可理解。老师接着就对鹿儿岛出产的大米运到其他县去的理由做了许多说明，但归根到底还是因为本地大米过剩才卖到别的县去。

如果问题是："过剩的理由是什么？"那是另一种答案。但既然问："为什么运到其他县去？"那么"因为过剩"这个答案当然是没错的。

我本来就不喜欢学习，这件事更让我感到学习没劲。当时这种心情我一直铭记至今。

暑假里的得意之作——测量器

还有一件忘不了的事情。还在战争年代我小学四年级的时候，学校布置暑期作业："暑假期间大家可以做自己想做的手工作业。"班里的同学有的采集昆虫标本，有的做其他手工制品。

我因为在学校极不用功，所以压根儿没考虑运用课堂上教的知识来做些什么。平时常和小朋友们到后面的山上、河里玩耍，那时常想，如果能有测量树木、山崖高度的简单方法该多好啊。因此我就想做一个测量物体高度的仪器。

于是，我去山上砍了许多竹子回来，首先把竹子内部挖通，做成像望远镜那样的圆筒，然后插进"赛璐璐”板，在上面刻上度数。再做一个三脚架，然后将竹筒固定在架子上。这就是我在小学四年级暑假期间所做的测量器。

测距时，比如在距离要测量的物体20米处，架起三脚架，在被测物体附近竖一根1米长的木棒，让它与竹筒水平对好，然后从竹筒一端的孔中观测，看被测量物与筒上的“赛璐璐”板上哪个刻度对准，就可以计算物体的高度。这是用比例法测定物体高度的一种方法。

“这是一种可以测量任何物体高度的重大发明。”我十分地兴奋，把它拿到学校，在教室里把它同大家的作品陈列在一起。

乍一看，这只是将一个内部打穿的竹筒糊在三脚架上，毫不起眼。老师一看就问：“这是个什么东西啊？”

我答道：“这是什么高度都能测量的仪器。”老师就问：“该怎么测量？”

“将它放在离被测物体一定距离的地方，从筒中观测就行。”就在我为自制的测量器做说明时，用米制的糨糊粘在三脚架上的竹筒掉落在地，同学们一阵爆笑，让我非常尴尬。

我慌忙将竹筒装上三脚架，这时老师像追打落水狗似的训斥道："你是傻瓜啊，这样的东西能测高度吗？"我自以为的得意之作，就这样不容分说地让老师一言否定。我懊恼不已，心里颇感委屈，"好不容易，拼命努力做出的作品……"

实际上，这个测量器并不能正确测量物体高度。要正确测量不是用比例法，是要用三角函数。但是，我只是小学四年级的学生，还没学三角函数，还不懂只用简单的比例法不能正确测量。

然而，老师当时应该有更好的说教。如果老师说："稻盛君，你的想法很好，是一个很有趣的发明，但是用它实际上还不能测量高度。要制作测量高度的仪器，还要用中学教的函数进行计算。不过，你现在就能考虑到这一步，已经很了不起了。"如果老师当时能这样鼓励我，我想我一定会在他的指导下努力学习。现在回想起来，对小孩难得的创造性和积极性泼冷水，简单粗暴地予以否定，这种做法不仅无法培育孩子的才能，而且会扼杀孩子刚刚冒头的创造性才能的嫩芽。

珍视创造性

我不想在这里议论日本学校的教育方法，我想对大家说的是，希望大家珍视创造性。同学们在学校学习的内容大部分是知识的吸收及其应用，这本身没有错。孩子们的头脑会像海绵一样吸收新知识，随着知识的积累而成长，然后踏入社会。

但是，学校用考试成绩评价学生，这就往往带来一种倾向——仅用“学过的知识记住了多少”这一点来做判断评价。

那么考试成绩优秀的人，他们的人生就能保证一帆风顺吗？我认为，比学习成绩优劣更重要的是，在此后的人生中，能否有效运用在学校学过的知识，也就是有无创造性这一点更为重要。

能记住知识，这是人的优秀能力的一个方面，但却不是全部。重要的是将吸收的大量知识灵活应用，就是说创造性最重要。

当然，并不是说知识吸收类的才能有什么不好。但是，所谓“知识”是已经为大家知道的东西，仅凭现成的知识并不能开辟新的时代。社会实际需要的是基于知识及信息的创造性。

第二次世界大战后的日本，进一步讲是明治维新后的日本，一直偏重于知识教育，这种教育产生不了天才，却可以培养许多秀才。这样的日本教育，在从欧美吸取知识、提升日本整体水准的阶段中，起到了相当大的作用。

回顾我自己，在小学、初中、高中、大学时代，学生竞争的内容就是看自己所学的知识记住了多少，由此来评价学习的成绩和学生的能力。

然而，在即将到来的新的时代，仅仅重复前人或参照先例，将无法在竞争中取胜。我认为，在难以预测的未来时代，不能再以记住了多少知识来评价优劣，而必须把教育的重点放在如何更好地运用知识这个方面。

京都赏所反映的创造性之差

我运营“稻盛财团”这个组织。“稻盛财团”每年把“京都赏”这一国际奖项授予有出色研究成果的科学家。我所创建的京瓷是在社会各界的支持下发展起来的。作为京瓷的大股东，我意外获得了大量的资产。为了感谢社会并向社会报恩，我创建了“京都赏”，到2004年已经是第20届了。

京都赏包括尖端技术、基础科学、思想和艺术三大分支奖项。获奖者要有杰出的业绩和高尚的人格。奖金每人5000万日元，同镶嵌京瓷制造的光彩夺目的绿宝石、红宝石的金质奖章一同颁发。

“京都赏”在全世界的国际奖项中，获得了不胜于也不逊于诺贝尔奖的评价。候选人是全世界诸多领域中的科学家。获奖人的选择程序是，每年由“稻盛财团”不仅向日本而且向全世界分发数千封推荐委托书，要求推荐各自领域中的专家作为候选人。然后经过专家委员会、审查委员会、京都赏委员会三阶段筛选，花费一年时间才决定获奖者名单。

获得“京都赏”的科学家几乎都是做出了世界性创造成果的先驱，而且几乎都是以美国为主的外国人士。有人认为，这是日本的奖项，日本人获奖机会多，但在公平的审查程序下，获奖者几乎都是外国人。

从“京都赏”的选拔结果来看，我切实地感觉到，日本的教育难于孕育创造性。欧美特别是美国的教育，在创造性这一点上明显胜过日本，它们善于培育杰出的创造才能。事实上，作为审查委员的日本一流的学者们也异口同声地说：“虽然遗憾，但美国人的创造性确实是日本人无法比拟的。”

思考自己的人生目标

我认为，同日本的孩子相比，美国的孩子在高中毕业以前所受的教育相对自由和宽松。这个阶段的教育着重培育孩子们的人性、人格。

在这期间，“将来自己想干什么？”，也就是“自己的人生目标在哪里？”，美国的孩子们可以从容地思考。

找到目标之后，他们进入大学，拼命学习能够实现既定目标的相关基础知识。实际上，美国的学生们都具有明确的目的意识，集中学习与目标相关联的知识学问。

在这一点上，日本的学校对于孩子们该怎样设定自己的人生目标，缺乏考虑和说明。

然而，“自己是一个什么样的人”“人生该怎样度过才好”等，这些有关自己将来可能性的问题，对于处在人生入口处的孩子们而言，给予他们思考的时间和机会是非常必要的。有没有这种思考的经验，对于他们今后的人生而言，差异相当之大。

进入 21 世纪，今后的日本，对这种有明确目的意识的创造性将愈发依赖。因为日本这种岛国同美国那样的大国相比，最突出的就是缺乏资源。

迄今为止，日本从国外学来很多知识，运用这些知识，开发出尖端技术，大量而廉价地生产世界上最出色的工业品，并向其他国家出口，由此获得了长足的发展。但是，今后日本制造业的生产据点将转移到成本更低的发展中国家。这样的话，日本剩下的唯一资产就是人才。所以，如何培养创造型人才是极为重要的课题。

我很担心，如果现在的年轻人疏于发展自身的创造性，那么，将来的日本就会变成连使用知识都不擅长的人组成的国家。

现在努力还来得及。希望大家对自身的创造性有一种觉醒，有意识地加以拓展。同时希望对年轻人负有引导责任的老师们，一定要在提高学生的创造性方面下功夫，努力付诸教育实践。

在思考日本这个国家的未来时，我衷心希望把现在的年轻人和孩子们培养成能够发挥优秀独创性的人才。

从小学课程开始重新学习

学校里有成绩好的学生，也有成绩差的学生。我自己在小学时代对学校的学习不感兴趣，预习、复习自不必说，就连作业几乎都不做，只知道玩乐。所以毕业时的成绩单让我很狼狈。

但是经过一年普通高小的复读生活进入初中后，我开始认真学习。对于平时感到最棘手的数学，我从小学四年级的课程，也就是最基础的部分开始重新自学。

那是因为我想到，基础不牢固就不能建设高楼大厦。打实基础是一件枯燥的事情，常让人觉得烦琐枯燥、兴味全无。何况进入初中后要再学几年前的小学数学，在别人眼里这或许是一件傻乎乎的事。

我思考自己为什么害怕数学，结果我意识到，那是因为我对数学最基础的东西没有很好领会，所以我决定从小学课程开始重新温习。

可以说，每当追溯起我重新学习小学数学这件事，我都会觉得它改变了我后来的人生。曾经不擅长的数学变成了我最喜欢、最得意的科目。我因此考入了理工类大学。进一步讲，这件事与我能够创建今日的京瓷这种高科技企业也有直接的关系。

早稻和晚稻

我想，人也像早稻和晚稻一样，既有早熟、很早就崭露头角的人，也有晚熟、大器晚成的人。在学校学习的阶段，早稻式的人很早就能取得优良的成绩。晚稻式的人在早稻式的人成绩上升的时候，还没有充分发挥自己的能力，成绩很差，落后于人。

这种情况，大体上是因为以前的基础学习阶段不用功，即使后来想努力，因为基础不好，成绩也上不去。

实际上，我进入初中后，从小学四年级的数学开始重新学习，就是因为考虑到："晚稻式的人虽然学习上落后，但是如果能重新学习小学以及初中已经学过的课程，打好基础后再继续努力，成绩很快就能提升。"

在美国，晚稻式的人物往往进了大学才奋起直追，进而开拓出新的道路。

而在日本，往往到初中为止的成绩，就决定了学生的前途，决定了一切。但是我认为，成绩不佳也不必气馁，只要从当时开始发奋努力就行。

同学们中间，也许有人认为“不管自己如何努力，成绩总是上不去”，因此灰心丧气。但实际上其中很多人，在课上的学习中，因为小学、初中所学的重要的基础部分被忽略，所以即使专心听课也很难理解。因成绩不好而苦恼的人，我认为不妨拾起最基础的课程重新学习。

“怎么能做那样的蠢事呢！”有人或许这么想。但是，只有这种踏踏实实的努力，将来才能开花结果。实际上，我就是用这个办法提高了成绩，并塑造了今天的我。

年轻人，你们背负着社会将来的希望。从现在开始努力绝不算迟。我劝你们，即使是绕远道，也要回归原点，从基础开始，重新努力学习。

为什么要重视道德

青少年们，在今后的人生中你们要学习许多东西，其中切不可忘记的就是要提高自己的品格。

后面还要详细讲述，“人品好、人性好”这是做人最高的价值所在。比起具备一些知识和创造性，更为重要的是人的品格。

同学们天天上学，我想你们也明白，在一个班级里，有人跋扈、欺骗别人、使坏心眼，其他同学的心情就会不愉快。走上社会，如果周围的人总是说别人的坏话，那气氛将令人窒息。

相反，如果彼此都是人品很好的人，大家互相帮助，在这样的学校或公司里，每天都会过得很快乐。

我希望大家都成为这种品格优良的人。

我期待，同学们接受我的劝导，增加自身的创造力、提升自己的创造性，而后发奋努力的年轻人大量涌现。但是，在努力提高自己创造性的时候，如果不顾他人，放纵自己为所欲为，那你的事情绝不会进展顺利。所以必须同时提升自己的品格。

这时候需要学习的就是道德。

现今的学校里，道德教育的时间几乎没有。在日常的生活中，“道德”这个词已经很少听到。“道德”这个词给人一种过分严肃的印象，许多人敬而远之。事实上，我看现在的年轻人中，肯花时间，包括私人时间，认真思考道德问题的人几乎没有。

然而，重新认识和思考道德，对于今后的日本而言极为重要。回顾历史就会明白，生活在一个国家或社会里的人们，如果他们的道德意识薄弱，这个国家就会衰落，治安就会恶化，国力也将会衰退。相反，道德意识强的国家，即使一时出现经济困难，因为国民都认真努力，将来也必然会有大的发展。

现在的日本正处在重大的历史转折关头。战败后的日本，城市都化为废墟，但此后国民齐心协力、拼命工作，取得了惊人的发展。

特别是产业的发展引人注目，在汽车领域、电器产品领域，日本企业创造了卓越的技术和产品，对世界经济的发展做出了巨大的贡献。对于创建高度的信息化社会、电脑社会，由日本大量生产和提供的高性能电子零部件，也做出了巨大的贡献。

同时，随着制造业的发展，金融和流通等服务性行业也得到了长足的发展。就这样，在战败后的日本，全体国民认真地、拼命地努力工作，获得的经济发展被人们称为“奇迹般的复兴”，一个小小的岛国现在变成了世界经济大国。在这期间支撑日本经济发展的，就是每一位国民的勤奋、进取心、积极性，而所有这一切的基础就是道德。

不能让日本社会衰落

那么，这个道德究竟是什么呢?

所谓道德，就是人们为了生存而需要的善恶判断的基准。

战败后的日本，之所以能依靠拥有杰出技术的制造业实现复兴，就是因为在制造业工作的人们的热情、上进心、忍耐力，而这背后，就是这些人所具备的做人的正确的思维方式。虽然拥有高超的技术，但如果心灵与道德背离，那么，这些人就不可能挥汗如雨、拼命工作，也不可能在世界性的竞争中取胜。

我非常担心的是，在战后的日本教育中，支撑日本发展的这种道德、伦理，已经不再向孩子们传授了。

这样的教育给今天的日本带来了巨大的创伤。

实际上，现今的日本，每天都在发生着在过去不可思议的恶性事件。青少年犯罪增加，社会走向衰落。这是因为在经济富裕的同时，我们日本人的心灵却趋向贫弱，而创造心灵的财富要靠道德。

道德的根本在于善恶的基准。坏事不可为，要从这种做人极为理所当然的事情开始。

这种做人最基本的生存规则，学校和家庭都不教了，都在回避。“道德”这一词语变成“死语”的时代也许即将来临。

在这样的社会中，人们头脑里的善恶意识将会消失。

这样的话，过去大家公认的罪恶，比如抢劫、杀人等犯罪将会层出不穷。“这事么，没有什么大不了的，每天都在发生，大家都会干。”轻描淡写、司空见惯——一个地狱般可怕的社会很可能就会出现。

在野生动物的世界里，存在着各种各样严格的规则。我认为，这是动物们在漫长的岁月中，从自然界获得的生存智慧。如果破坏这种规则，自己以及自己的子孙就不能生存，它们从本能上懂得这一点。

在人组成的社会中，如果大家不学习、不遵守这种最低限度的规则，每个人都会各行其是、为所欲为。如果这样，社会将更加倒退，社会环境和自然环境将越发恶化，最后必将危及人类自身的生存。

即使从现在立即开始进行道德教育，等到小孩长大成人也要花 20 年的时间，在这期间，日本人的道德心继续弱化的话，我觉得后果极为可怕。道德教育已经刻不容缓了！

想做好事的愿望

那么，现在正在阅读本书的读者们，应该怎样来考虑“道德”这个问题呢？

一说到道德，似乎很严肃，往往引发联想，好像道德就是不近人情的东西。但是，我所说的道德，是指人应该做的正确的事情，正确的事情应该贯彻始终。比如，不骗人、要正直、不给人添乱、与人为善……，都是极为简单的、理所当然的事，是世界上到处都可通用的、普遍性的东西。正因为是做人最基本的准则，所以成为许多人判断善恶的基准。而且正因为是朴素的、自然的道德，它也是 21 世纪全世界通用的、具有包容力的道德。

比如，男子见到美丽的女人，就会产生“很想让她喜欢自己”这种想法。这是人极为自然的感情。但在战前的修身教育中，这被指责为不良情感而遭到严厉压制，这就不像人的道德。毋宁说，这种爱恋之心可以用来提升自己，道德应予容忍。

这种人类原本具备的道德心中，特别重要的是对对方的关爱之心。“想对别人有所帮助”，“想为社会、为世人做点什么”，这种想法中所体现的道德，是当今这个世界最为需要的。

当然，希望理解别人的痛苦，希望为社会做贡献，心里这么想了，未必马上就能做到。但重要的是，“希望做好事”的想法要持续下去，只要持续这么想并做出努力，某个时刻，你的想法就一定能实现。

肩负未来世界的年轻人，要“想做好事”，要描绘做人的理想状态，更要朝着这个方向努力。至少“想要努力”这个想法要不断持续。这样的话，你的人品就能提高，你的未来、人类的未来必将变得更加美好。

第五章　不因背运而气馁

在人生中，与能力相比，热情和思维方式要重要得多。即使能力不强，但拼命努力又具备为他人尽力的思想境界的人，比起那些能力优秀，但不肯努力、持有负面人生观的人，其人生的结果会好许多。能力稍差不必灰心。坚持不懈的努力以及正面的思维方式，一定会将你培育成才，让你取得丰硕的成果。

人生的目的在于追求美好的心灵

我创建了京瓷公司，花了40年时间将它培育成了一个大企业。后来我创建的第二电电，即现在的KDDI，也成了一个巨型企业。另外，许多大学授予我名誉博士的称号，许多团体和国家赐予我奖赏和勋章。但是，就因此说我有多么了不起，那也不见得。同时，世上许多被一般人认为了不起的名人，其实也并没有什么了不起。

人生的目的在于成为一个好人，所谓好人就是具有美好心灵的人，所谓美好的心灵就是一颗关爱他人之心。我认为这颗“关爱之心”才是最重要的。

“关爱之心”换个词说就是“和善之心”。立志成为具有和善之心、关爱之心、美好之心的人——这才是人生的目的。不管你是多大企业的社长，不管你拥有几亿还是几十亿的资产，从人生目的这个意义上讲，地位、财产没有任何价值。一个人的价值在于他具备怎样的人格。为了塑造我们优秀的人格，这个自然、这个宇宙以及神灵就给予我们种种考验。这些考验，不仅是灾难和不幸，也包括成功在内。

年轻时的挫折和考验是磨炼自己的机会

我年轻时，经历过许多失败和挫折；同时，也有人年轻时就获得成功，过着似乎一帆风顺的生活。

比如，在风险企业的经营者中，有人年纪轻轻就创建了出色的企业，股票上市，30多岁就成为亿万富翁。这种人真幸福，许多人或许都这么想。但是，这种成功对于当事人而言却是考验。

神给这种人成功的体验，看他在成功后如何变化。

很年轻就成了富翁，有了地位，不知不觉中傲慢起来，过上奢侈的生活——这样的话，报应就会到来。开始时认真地、拼命地努力，不浪费一分一厘，因而获得成功。然而一旦成功，就不再认真工作，而把时间和金钱消磨在玩乐和个人的兴趣中。同时，稍有成功就“翘尾巴”，趾扈起来。这样，刹那间成功就会变为失败，好不容易得来的金钱、地位也会化为泡影，从此走向没落的人生。

如果那人在那时没有那样的成功，他的人生或许更实在、更幸福。这种让人感叹的事例不胜枚举。

直面考验

我身边也有类似的经验。以前在我的故乡鹿儿岛举办小学同学会。“希望稻盛君出席，你来了，同学们就会过得很愉快。”这么一说，我就参加了。

在同学会上得知，有人经营小店，有人从工薪族退休，同学中有各种各样的经历。我在一般人的眼里算是一个成功者，小时一起玩乐的伙伴们同我见面很高兴，因此聚会来了许多人。

久别重逢，大家兴高采烈，七嘴八舌。小学时曾当班长的同学对我说了一番话。他考上了我没考上的鹿儿岛一中，当他穿着一中的校服上学时，曾经同我擦身而过，他说，当时我狠狠地瞪了他一眼。

“稻盛君用十分怨恨的目光瞪着我，那种目光至今难忘。”他这么说。我已经没有记忆，但我相信他说的是事实。因为当时的我老想的是：“初中没考上，自己究竟为何如此倒霉，为什么自己会遭此厄运。”所以，对头脑聪明、能考上好学校的他，一定抱有羡慕和妒忌的情绪。

但听他细说，他考上鹿儿岛一中后不久，家里的房屋遭空袭被烧毁。从此他就堕落了，一蹶不振。当时战争孤儿很多，街上有许多游手好闲的人，他入了他们的团伙，干了不少坏事，此后的人生很不顺利。“这样下去可不行！”意识到这点后，他重新学习，一直到今天。他儿时小小的成功反而搅乱了他后来的人生。

从这件事可以懂得，年轻时碰到好事也绝不能骄傲。同时，遭遇灾难和重大挫折也不可消沉。这些都是神灵给予的考验。神灵给予我们灾难或幸运，应该把这些作为精神食粮，走好今后的人生。所以，不管失败也好、成功也好，重要的是如何应对。要从正面接受考验，将它们作为动力，持续不懈地努力，在这过程中塑造自己的人格。

在严酷的考验中磨炼自己的西乡隆盛

我认为“人刚出生时就像原石，只有经过日后的磨炼，才能成为像光彩四射的宝石”那样具有优秀人格的人。

那么，人应该怎样来磨炼自己呢？在明治维新中发挥了关键作用的西乡隆盛可以成为很好的榜样。

西乡隆盛是我非常喜爱的历史人物。西乡小时候的绰号叫“草包”，是一个毫不起眼的孩子。但是，后来他成了胜海舟等幕末伟人们所尊敬的、人格高尚的人物，成就了明治维新这一历史的伟业。

西乡在人生中经历过各种各样严酷的考验。年轻时与一位和尚挚友一同赴死，跳入鹿儿岛附近的海里，结果他被救生还——挚友死亡，西乡痛苦万分。

后来他又因得罪主君，两次被流放荒岛。特别是第二次，他被流放到离鹿儿岛很远的冲永良部岛，被关进不挡风雨的狭小牢房，过着非人的悲惨生活。

然而，就在这逆境之中，西乡钻研古典，为提升自己而不懈努力。西乡忍受苦难，而且把这种苦难看成促使自己成长的动力，专心致志，努力磨炼自己的人格。后来当被允许离岛时，西乡已经成长为具备出色人格、敏锐判断力和卓越远见的人物。众望所归，西乡成了明治维新的核心人物。

我向大家介绍这段故事，是因为西乡隆盛教给我们一个非常重要的道理，就是在人生遭遇考验的时候，我们该如何行动——在遭受苦难时，是选择屈服于苦难，怨世恨人呢？还是像西乡一样，不屈不挠，坚持努力，忍受并克服苦难呢？人能否成长，这里就是分水岭。

正面面对苦难，不懈努力，同时成功也不骄傲，而是更加努力。就这样，伴随人生的多种考验，人才会茁壮成长。

中村天风的人生

中村天风是一位哲学家。从明治末年到大正时期，他度过了青少年时代，现在已经过世了。中村先生是在印度修炼瑜伽开悟的人物。天风的父亲是大藏省（现在的财务省）负责纸币印刷的官员，所以天风出生在所谓的知识阶层家庭。

但是天风从小就是一个不受管束、顽皮透顶的孩子，打架特别厉害。初中时与朋友打架致使对方意外死亡。发生了这种不幸事件，天风被迫退学。

就是这位天风，在日俄战争开始时就当上间谍潜入中国。那时他才 16 岁，就已经大展拳脚了。

手持一根带刀的手杖与对手决斗。他是剑道高手，不管对方是怎样的彪形大汉，他绝不退缩，据说他是杀不死的亡命徒。这么一条汉子，20岁回到日本时患上了肺结核，面临死亡。彼时的天风面黄肌瘦，时常吐血，陷入痛苦的深渊。

这样下去唯有死路一条，天风决定去美国、欧洲，探索“人生为何物”。希望在临死之前，重新审视自己的人生，想清楚了再死。他为此出游，归途中，在埃及的港口遇见了印度瑜伽圣人加里阿巴。

“你是日本人吧。你肺上有一个大洞，濒临死亡。你是想回到日本后再死吧。不能就这么死在国外，是抱着这样的心情回日本的吧。但是你还不会死，请跟着我走吧。”

于是，天风跟着这位圣人，走进了印度的深山里，在圣人加里阿巴居住的地方开始了修行。

所谓修行，就是坐禅，通过坐禅达至悟境。结果，天风大彻大悟，肺结核也在不知不觉中痊愈了。后来回到日本，天风当上了银行行长，肩负许多重要的工作，获得了巨大的成功。

天风先生到了晚年，放弃了银行行长等一切职务地位，开始街头说法。“人生，不论过去遭遇过什么事情，只要有良好的心态，就可以走上幸福的人生之路。”天风先生向许多人讲述。他在东京的街头向过路的行人宣讲这个人生的道理。

“这个宇宙给予一切人平等，保证大家都有光明的未来。不管你现在处于何种逆境，不管你遭遇何种不幸，一个美好的未来正在等待着你。能不能得到它，全在于你的心态。

“在你的未来中，幸运正在等候你，请相信这一点。不要憎恨，不要嫉妒，不要厌世，要将这些灰暗的思想一扫而光。用乐观的心情看待自己的人生，燃起希望的火焰，相信好运就在前面，不要有丝毫的怀疑，坚信这一点，迈开你人生的步伐。

“人生因你的态度而迥然不同，如此而已。可惜人们不懂这一点，因为不懂，所以迷惑，所以人生才有痛苦和烦恼。只要相信这一点，就可以踏上你美好的人生之路。”

天风先生终其一生，奔走各地，向人们诉说这个真理。

我在30多岁时知道了天风先生，果然名不虚传，我对天风先生的思想和人生态度非常佩服。我读天风的书如饥似渴，从天风处学到了许多人生道理。而且，正如天风先生所教导的那样，每个人的人生由他自己的心态决定，人生会因对人生看法的改变而改变。我也开始坚信这个真理。

人生的结果因热情和思维方式不同而不同

对于正在开启自己人生道路的年轻人，我想告诉你们一个道理。这就是天风先生所说的，在正确的思维方式指引下努力奋斗，人生必有好报。这个道理我用下述方程式来说明：

人生·工作的结果 = 思维方式 × 热情 × 能力

针对“只具备普通能力的人，怎样才能度过美好的人生”这一问题，我通过自己切身体验所做的答复，就是这个方程式。

在这个方程式中，首先看到的是“能力”，这不仅指人的头脑聪明与否，而且包括人的身体条件，比如运动神经是否发达、体力和健康状况如何等，多数是与生俱来的素质。

“自己学了也不得要领，做了也没效果，是缺乏能力吧。”有人这么想。我自己也是这样，初中升学考试失败，大学升学考试落第，就业时进不了好企业，因此我的能力或许也不够强。

但是，第二位的“热情”可以由自己的意志决定。于是我就想付出不亚于任何人的努力。能力或许真的不强，但热情却可以不输于人，我就这么想。比起头脑聪明而不愿努力的人，我虽不聪明，但我想在干劲、热情方面做到不亚于任何人。

持有正面的思维方式就会有幸福的人生

第三位就是“思维方式”。正如中村天风先生所言，人生由我们如何思考来决定。绝不能对自己的将来抱悲观的态度。自己的未来中，玫瑰色的好运正在等候，相信这一点非常重要。燃起希望，满怀信心向前进。天风先生说，美好的未来正在等待着自己，你抱着这种信念去生活，这本身就会使你的人生幸福顺畅。

天风先生认为，人生最重要的事情就是这个“思维方式”。他甚至说“思维方式”本身就等于人生。然而，人们不懂这一点，因而迷惘困惑，不能愉快地度过人生。天风先生就是这么说的。我认为他说得非常中肯，所以在这个方程式里，我把“思维方式”作为最重要的要素。

下面，就这个方程式再做更详细的说明。人生是“能力”“热情”“思维方式”三个要素的乘积。对能力的评价可从0~100分打分。比如，一个人头脑不聪明，低于平均值，只有30分。但他发奋努力，工作时比别人勤奋几倍，热情可打90分。那么30乘90就得2700分。

另一个人，头脑聪明，能力有90分，因为他聪明，可以考进一流大学，但是他却因此认为：“像别的笨蛋一样努力工作简直就是傻瓜，让那些上不了学的人，让那些笨人像拉车的马一样拼命干活就行。”如果他这么想，他的热情只能打10分。那么10乘90只得900分。

比起那些能力优秀却不肯努力的人，自知能力不强因而发挥热情拼命努力的人，他们所获得的成果可以遥遥领先。

“思维方式”从–100~100分。玩世不恭、性情乖僻、怨天尤人，这一类“思维方式”就是负数。乘上负数，人生结果整体就成为负数。

假设一个人能力很强，热情很高，但他怨世恨人，否定真挚的人生态度，他的人生结果就是一个很大的负数。相反，持有正面的思维方式，抱有积极乐观的人生态度，即使能力差些，也能获得美好的人生结果。

因人工骨事业受挫和长老的教诲

说到人生中的考验，我自己就有切身的体会。

为实行多元化经营，京瓷从 1972 年起进入医疗领域，利用新型陶瓷开发出人工齿根和人工骨。“在人体里使用金属会产生排斥反应，那么使用新型陶瓷效果怎样呢？”我们接受了大阪大学老师的建议。

对我而言，自己年轻时开发的新型陶瓷能够对人们的健康起到作用，对医疗事业的进步做出贡献，那是无上的光荣。在大学的协助下，我们首先开发成功人工齿根，1978 年获得厚生省（现厚生劳动省）的认可。同时开发的人工骨、人工关节不久也取得了厚生省的认可。京瓷在医疗领域的事业走上了轨道。

然而，1985 年却发生了一件意想不到的事。一位整形外科医生委托我们开发膝关节：“京瓷利用新型陶瓷开发了性能优良的股关节，接下来能否开发膝关节？”京瓷回应说：“因为需要厚生省的认可，请等等吧。”但对方强调：“既然股关节已经得到厚生省的认可，患者又有强烈的要求，另外有责任我们承担，所以务请尽早开发。”出于帮助患者的愿望，京瓷的相关负责人答应了。但是，有关药品和医疗器械的法律，即《药事法》规定，即使使用同样材料的人工骨、人工关节，在用新的形状或尺寸制作时，需要分别获得认可。因此，结果是京瓷在获得认可前便已对其进行销售。这一事件，新闻媒体大肆渲染。公司创建以来 25 年中，飞速成长的京瓷，受到社会的指责，这是第一次。

本来是为患者考虑才这么干的。但该部门因违反法律，受到了停业 1 个月的处分。

发生这一事件时，将我从消极情绪中挽救出来的，是我心灵的老师——西片担雪管长的珍贵的教诲。

西片担雪长老是临济宗妙心寺派的顶级高僧，但对我这个俗人的谈话，总能耐心倾听，至今依旧。当时他是京都南部圆福寺的长老。每当我访问寺院时，他总是为我沏好抹茶，腾出时间，听我随意讲述公司的事情。这个事件发生后，媒体大肆宣传，公司受到了伤害。

当我诉说完委屈后，长老说："那是没办法的事，稻盛君，痛苦是活着的证明。"我本希望他说几句安慰的话，他却说了意料之外的话。

"遭遇灾难是消过去作的业，业消了该高兴才对。过去作过什么业不知道，但这种程度的挫折就能消业，应该祝贺。"

这话是让我重新振作起来的最高的教诲。从世间来的批判也是"神灵给予的考验"，我可以虚心地、坦荡地接纳。

预定投入佛门的那一天接受了胃癌手术

刚才谈到，人生的目的在于做一个好人。所谓好人，就是具备美好心灵的人，美好的心灵就是和善、关爱之心。有了钱、有了地位就忘了谦虚，摆起臭架子，这就远离了人生目的，绝不会有幸福的人生。真正优秀的人，就是具备美好、和善、关爱之心的人。经历种种磨炼和考验，成为具备这种心灵的人，这就是人生的目的。只要具备这样的心灵，就一定能开辟崭新的人生。

我认为人生的目的就是要成为心灵美好的人，因此，到了60岁我就想把心静下来，好有时间来重新学习有关人心的知识。可能的话，想多读一点宗教方面的书，在死亡之前，也就是在灵魂开始新的旅程之前，再次塑造自己的心灵。最好能进入寺院，向僧人学习。这是我很久以前就有的想法。

但是，真到了60岁，又因为工作实在太忙，腾不出时间，这样转眼已经到了65岁。这时我想，自己的生命能持续到何时不知道，但如果像这样继续忙于工作，进寺院学习的夙愿就无法实现了。

时不待人，我考虑就在此时成为僧人，同时我与寺院的人做了具体的商量。另外，我在前面谈到了我非常尊敬的西片担雪长老，我向他提出要求，希望在圆福寺举行剃度仪式，成为僧人并在那里修行。

正好在制订这个计划时，体检查出了胃癌，预定进入寺院的那一天我接受了切除胃癌的手术。

手术切掉了胃的2/3，手术后又出了问题。胃癌手术现在已经不像过去那么麻烦。但当时我运气不好，手术失败，住院的时间和痛苦的程度比常人增加一倍。

总算熬到出院，再也不能错失机会了，我剃光了头发，成了僧人，并在寺院修行，虽然待的时间不长。

那时西片长老对我说：“对你而言，回归社会，在那里发挥作用，这才符合佛道。”此后，我退出经营第一线，从事刚才所讲的“稻盛财团”的运作，以及对年轻经营者的指导，同时，还为蒙受不幸的少年儿童建立有关设施等，尽可能做一些对社会有益的事。虽然只是一点一点地做，但已经开始身体力行。

释迦倡导的六波罗蜜

年轻人都希望度过一个美好的人生。为此，释迦所教导的六波罗蜜可以作为重要的参考。

释迦说，成为具备和善、关爱之心的人是最重要的事。人通过修行具备了美好的心灵，就会走上连自己也无法想象的幸福美满的人生之路。他说，修行不仅可以使心灵变得美好，而且可以远离不幸和灾难，可以开启新的人生。

想要成为这样的人，方法就是释迦倡导的六波罗蜜（布施、持戒、精进、忍辱、禅定、智慧）修行。

六波罗蜜修行的第一步叫作“布施”。献香钱、赠僧人谷米称为“布施”。原来的意思是救助他人。为社会、为世人尽力就是布施，也就是“关爱之心”“和善之心”。

见到贫困的人就想给他一些帮助，持有这种关爱、和善之心，把自己的东西分一点给他们。为世人、为社会尽力施舍，这很重要。

或许有人会误解，以为布施或捐赠这类活动是有钱人做的事。其实不然，没有钱也可以为他人尽力，或有尽力的意愿，做力所能及的事就够了。这种布施可以磨炼心灵，是为了度过美好人生所进行的修行的第一步。

人皆有“三毒”

其次是“持戒”。持戒就是遵守戒律。释迦把人不可以做的事定为戒律。话虽这么说，不幸的是，不可以做的事我们却做了。这时候就需要诚恳地反省，告诫自己不要再犯同样的错误。

不可以做的事不知不觉中就做了，甚至犯罪，那是因为人有肉体，就是说人有食欲、性欲等本能。这种本能是人活下去所必不可缺的，而同时它又是使人偏向利己，令人讨厌的东西。

同具备本能一样，人还具备“烦恼”。释迦说，人的烦恼有108种之多，而其中贪、嗔、痴，即贪欲、恼怒、愚痴（发泄不满）这“三毒”最难对付。

比如有这样的经营者，他们创建了公司，拼命努力获得成功，事业按照自己的愿景顺利进展，公司逐步壮大。这时他们就要面临各种各样的判断。

那么，应该以什么作为判断的基准呢？人具备知性和理性，能够对事物进行冷静的思考。但在被迫进行判断时，人往往更多的不是依据知性和理性，而是凭本能，就是对自己是有利还是有害，凭得失算计，以及凭感情好恶进行判断。这时候，“自己永远要成为中心”的自我显示欲也会抬头。

即使是优秀企业的社长，用本能或感情对事情作出决定，这种情形实际上为数不少。如果因此一时成功了，他们的“尾巴就翘得更高”，烦恼中的“三毒”就影响更广。“三毒”集结，支配了这个人的言行。这样，他就失去了谦虚，会想只要自己好就行，而变成一个自私的人，他就无法获得周围人的支持，结果公司也会衰败。烦恼中的“三毒”搅乱了他的人生。

我因为把事业扩展到了全世界，所以以公司经营为例。实际上，当这“三毒”——贪欲、恼怒、愚痴——控制、支配了人心的时候，不只是经营，在人生的各个方面都会引发错误和失败。正在看这本书的读者们，你们过去或许也做过不可以做的事，也许正在后悔。如果追究原因，恐怕也会追到这恼人的“三毒”。

释迦倡导持戒，就是强调通过遵守戒律来抑制“三毒”的重要性。

塑造人格

为磨炼人的心灵，释迦倡导的六波罗蜜的修行中，“布施”“持戒”之后就是“精进”。

人生必须勤奋努力，不论做什么，你都不可偷懒，都要拼命努力，释迦用“精进”这句话来教导人们。实际上在寺院里面，清扫和从事农业活动等，也是修行。不仅是坐禅，通过劳动磨炼心志非常重要。这个“精进”就是比谁都努力，不懈怠。就是我经常说的要拼命学习，要拼命工作。近来的日本，像过去那样崇尚勤奋的观念已经逐渐淡薄。

比如，“工作不过是为了谋生而去赚钱”，抱这种想法的人越来越多。然而，拼命工作可以磨炼人的心灵，这一点，希望背负社会未来的年轻人一定要明白。

这时候，非常值得参考的，就是活跃在江户时代的二宫尊德。

二宫尊德从小就失去双亲，被寄养在伯父家。他早出晚归在田间耕作，夜里在油灯下学习。因伯父责备他浪费灯油，他想学习而不可得，少年时代非常不幸。长大后，他披星戴月在田里拼命劳动，建起了富裕的乡村。

不久，闻知此事的大名们，拜托他帮助领地内贫困的村庄。他一个接一个地把穷村变成了五谷丰登的富乡。

二宫尊德到了晚年，被幕府起用，登上江户城楼。扛着一把锄头、一把铁锹，终身在田间劳作的二宫尊德穿上武士服，走进将军府，据说，“他举手投足宛如大名一般，他发言时的用词犹如天生的贵族”。

就是这样，一把锄头、一把铁锹，从早到晚，专注于农业生产，二宫尊德成长为一位非常卓越的人物。这有力地证明，只要认真劳动、拼命工作，就可以提升人格、人性。为了“精进”，美化心灵、拼命工作是最好的捷径。希望年轻人通过二宫尊德这个例子，理解这个真理。

六波罗蜜第四项是“忍辱”。这是指不管处境如何艰难都必须忍耐。“为什么只有自己如此倒霉！”因而怨天尤人，这不行！忍住苦难就是磨炼心志的修行。

忍辱这个词的意思就是“忍受耻辱”。人生中不免遭人侮辱、遭人诽谤。这时候，迷惑人心的“三毒”中的愤怒，往往会占据人的心灵，支配人的行为。如果这样，人就可能犯下大错。

因此，释迦教导说，即使受到侮辱，即使受到欺负，也要忍耐。不管当下的境遇如何难堪，不管环境如何严酷，咬牙忍受、专心致志、不懈努力——这就是磨炼心志。

人生不可能始终一帆风顺。有人年轻时遭受苦难，有人上了年纪遭遇不幸。忍住这苦难和不幸就是塑造人性。

六波罗蜜第五项是“禅定”。

每一天，哪怕抽出片刻时间，将心静下来，回顾自己这一天的行为。这就是释迦所说的“禅定”。

人生波澜起伏，好事坏事接踵而来，因此人心就会动摇，要花点时间将这动摇之心定住，这就是释迦的教导。

务请诸位，每天稍稍留一点时间就行，来做这个“禅定”。一天一次，保持静心的状态。用这个方法来磨炼心志。

最后是六波罗蜜第六项“智慧”。释迦说，认真进行上述五项修行，就能达至真正的智慧，即宇宙的真理。

布施、持戒、精进、忍辱、禅定、智慧，释迦在2500年以前就说，只要切实实行这六项，人生就会幸福美满。年轻人，希望你们好好学习这六波罗蜜，以磨炼自己的心志。

第六章　塑造心灵

不论体育界还是实业界，年纪轻轻就获得成功，是值得庆幸的事。但是，人一旦成功，往往就得意忘形，不再努力。而且，年轻时的成功孕育着许多危险。年轻人，即使你的事业已使你心满意足，你仍要保持谦虚，继续努力。这样，你的心智就能提高，你的人生将更加美好。

连续跑动 90 分钟

京瓷支持并经营京都本地的足球队俱乐部“京都火鸟 FC”（以下称火鸟 FC）。京都市民的签名运动催生了这个球队。至今大部分运营资金由京瓷支付，我也参与球队经营。

过去日本的足球队，如果成绩不好，赛季结束就大批更换选手。火鸟 FC 以前也是这样。

对于足球我是门外汉，但是我认为，不能只靠换人来强化球队，球队应该花费时间来培育优秀的选手。我以这个方针经营球队。

球队有从少年选拔的球员，有从高中、大学过来的新人，有许多年轻人，应该好好培养他们，使他们成为优秀的选手。我把这个意见告诉了火鸟 FC 的社长和领队。

我想，不仅是球员，领队也一样，要在球队里经历各种考验，大家同甘共苦，一起成长。领队和球员上下一心、齐心协力，去争取比赛的胜利。

虽然公司的方针是要花较长的时间来培育球队，但这并非要留下懒散的球员。留下的选手应该是刻苦训练的人，是拼命努力的人。因为只有拼命努力的人才会不断成长。

从电视上看，从球场的看台上看，凡泄了气的球员，一下就可看出来。比如球不在自己身边时，他只是低着头漫不经心地走动。

比赛中，球员必须一直全神贯注在球上，如果长传球何时飞来都不晓得，球飞来才突然惊醒，那种狼狈的样子，最让人失望。

要求精神高度集中，至多不过是 90 分钟时间。这么短的时间内，神经不能集中在足球上，这样的选手成不了大器。专业球员更该如此，不管球在何处，不管球何时飞来，90 分钟必须一直全神贯注。

另外，看球赛，我常注意到，比赛时间超过七八十分钟之后，往往是胜负的分水岭。彼方己方都已筋疲力尽，这时候能用什么速度全力奔跑、控制足球，往往能够决定胜负。

因此，我观察球员，是看他在比赛的90多分钟时间里，是不是心思集中、精力充沛。重要的是，是不是拼命努力。射门的精确性、奔跑的速度如果稍有不足，但一味拼命努力的选手，我会留在队里，因为拼命努力的人能成大器。人生也是如此，即使先天的才能略有不足，但只要努力就可以胜过天才。

当然，这是专业团队，技能平平的人不能留，但才能略差而拼命努力的人我寄予厚望。这样的人，刻苦勤奋，人品、技术都会大幅提升。

能进入J联盟的，都是高中、大学足球成绩出色的青年。他们多是年少时就引人注目的青年，但这批人中，自以为优秀，有技能，只会炫耀，不肯苦练的却大有人在，几年后，他们就变得不中用了，这样的例子为数不少。人一骄傲、一翘尾巴，就不再努力，原有的水平也会眼看着一点点倒退。

加入火鸟FC的选手也都是年轻的专业球员，大家都想成为明星。我也希望这些年轻人能够在火鸟FC顽强拼搏，成为有名的选手，被众人称为“火鸟FC的某某”。

为此，我一贯严格要求球员们，在比赛的90分钟内必须全神贯注，奋力拼搏。

真勇气

体育也好，人生也好，斗争性很重要。但是这与心灵扭曲、刻意对抗的斗争性不同，真正有勇气、有志气的人，他们能虚心地听取上司和同事的意见，如实承认并改正自己的缺点。

真正有斗争性、有勇气的人，平时忠厚老实，甚至天真淳朴。然而一旦进入比赛，他们就表现出“狂人”般的斗志，连死都不怕。无论是工作还是足球，淳朴心和真勇气兼备的人进步发展就快。

说到勇气，我想在这里介绍大场满郎这个人。大场先生是世界上第一个独自徒步穿越北极和南极的人。他穿越南极时要求社会提供有关的器材，当时的第二电电给予了协助。

此后不久，从南极探险成功归来的大场先生特地来向我表示感谢。我对他说："穿越北极，又跨越南极，多次冒险挑战，你的勇气令人钦佩。"大场却回答道："不，我并没有什么勇气，其实我是一个很胆小的人。"

按大场先生的说法，那些满怀勇气的冒险家，都在探险过程中失败了。如果不胆小谨慎就不能生还。听大场先生这么说，我很感慨。我想，探险也好，企业经营也好，技术开发也好，其实都一样。能成就事业的人，就是那些做事慎重，甚至有点胆小的人，他们对可能发生的意外，会在事先做好周到的准备。

人的价值由人的心灵决定

像本书中反复论述的一样，我对火鸟 FC 的球员们也不厌其烦地讲述“人的价值由人的心灵决定”这个道理。

运动员的职业生涯很短暂，至多到 30 岁。过了 30 岁，在足球这个世界里就算是老将了，但就人生来说，你还是一个初出茅庐的小伙子。现在人的寿命延长了，许多人到了 80 岁还很硬朗。

年轻时当球员驰骋球场，过了 30 岁就结束运动生涯。如果寿命为 80 岁，那么后面还有 50 年。火鸟 FC 的球员，以及年轻的体育运动员们，你们在何种程度上思考自己退役后漫长的人生，这点我不知道。但是我希望，在你们后面的人生中，当你们回顾年轻时的运动生涯时，你们能自豪地说：“当年的足球生活真精彩啊！”

为什么提起这个话题呢？因为年轻时的成功带来的负面效应，使后来的人生挫折连连，这种例子不胜枚举。一个优秀的运动员，才二十几岁，就受到社会的追捧、溺爱，年收入少则1000万日元，多的要高达三四千万日元。

三四千万日元的年薪，那是日本一流企业社长的工资。年纪轻轻就有这么高的收入，如果本人不是意志特别坚定的人，或者缺乏父母的管束，他此后的人生很可能非常糟糕。

即使天生有才，可以拿是同辈普通人10倍、20倍的年薪，但后面的人生因此而乱了套，那就没有任何意义。

因此，越是有天赋、有才能的人，越是要认真思考：人生究竟是什么？自己应该度过一个怎样的人生？

在埋头工作中塑造人格

年轻时就成功的职业足球选手，在运动生涯结束后的人生将会怎样呢？

有人留在足球界当教练或领队，但不可能所有的人都走这条路。多数人过了 30 岁，就会从专业运动员的岗位上引退，或到一般的企业去就职，或开始自己做生意。

他们回到普通人的社会后，最重要的是什么呢？当然不再是足球才能和足球成绩。

即使当足球选手时非常杰出，但如果退役后自高自大、神气活现，就会给他们以后的人生带来负面影响。回归社会后，足球踢得好已没有实际意义。这时候，最重要的是这个人的人品。就是说，如果你人品好，别人就乐于与你共事，甚至愿意追随你。

接我的班担任京瓷会长的是伊藤谦介。我创建京瓷前在松风工业研究新型陶瓷时，伊藤从冈山高中毕业，进了我的研究室当助手。松风工业是一个亏本企业，在那里当研究助手，自然不像穿着白色实验服的大学研究员那么优雅。没有像样的研究设备，研究室也不干净，身上沾满陶瓷粉尘，伊藤就在这种条件下协助我搞研究开发。

至今我还清楚地记得，当时我开发的新型陶瓷零件被松下电子工业选中，用在电视机上。但是因为公司穷，没钱买先进的制造设备。

当时伊藤使用一台旧的手动压机，从早到晚压制这个零件。伊藤身材瘦小，操作手动压机就像练习举重。干这个力气活不足一个月，肌肉就发达起来，体型也变了。

当我的研究助手却从事如此繁重的体力劳动。伊藤曾对我说，自己虽然高中毕业，但还是希望去夜大进修。实际上他已经考上了同志社大学的夜校。我劝他说："不必去上什么大学，我教你就行。"我让他放弃了同志社的夜大，专心于公司的工作。伊藤此后继续埋头工作，拼命努力，发挥了杰出的才能，同时也锤炼出了优秀的人格。

京瓷公司的员工，全世界已有5万多人，管理层中不乏日本和美国一流大学的毕业生。在这种情况下，伊藤不过高中毕业，却作为领导人受到大家的尊敬，工作非常出色。不只是伊藤，在京瓷的地方工厂里，只有初中、高中学历的人担任事业部长要职的也不在少数。

为什么这些人能担此重任，因为他们具备了优秀的人格，靠这种人格魅力率领团队奋进。

那么，怎样才能塑造优秀的人格呢？

很简单，本书已多次论述过。那就是踏踏实实、埋头苦干、持续不懈地努力。

比起头脑聪明，比起名牌大学毕业，更重要的是不辞辛劳、默默工作、刻苦钻研。在这个过程中就能塑造优秀的人格。体育界也是一样，那些不怕吃苦、不断战胜困难的人，会拥有人格魅力。吃苦耐劳是不容易的事，但正是它造就了人格。

所以我总是对火鸟 FC 的球员们这么说：“最初或许并不引人注目，但是经过 5 年的拼命努力，不！经过 10 年的吃苦耐劳，即使作为运动员没成大器，但你的人格一定会完善，回到社会，作为领导人，你一定会成功。所以不管练习还是比赛，无论何时都要全力以赴。”

聪明青年辞职，迟钝青年留职

我创建京瓷以来，招收过大量的新员工。京瓷诞生后不久，虽然热切盼望，但优秀人才不愿前来应聘。偶尔也有头脑聪明、反应敏捷的青年进来。与这样的青年一起工作，他们果然很能干，办事利索。我因此想，这样的人在京瓷将来可委以大任，或者在技术方面他们能成大器。

另一方面，也有一些头脑迟钝、既不聪明也不伶俐的人进来。向他们发指示，他们也反应迟钝。我心想，这样的人将来不会有出息。

然而，前面那种看起来聪明能干、我想寄予厚望的青年，没过几年就辞职离开了京瓷。

“为什么要辞职？”想挽留他们时，他们却说：“我认为京瓷公司没有多大的前途。”好像他们挺有远见似的。但是那些看来迟钝、既不聪明也不伶俐、我认为没有出息的青年，却不辞职，而是专心致志地工作。看到这些反应不快却默默工作的人，我就想：“大概他们也无处可去，只好留在公司工作。”

所以，我常常觉得很失望，“优秀的人才不肯来，来了又很快辞职。像我们这样的公司不会兴旺发达吧”。看着那些新员工的面孔，我内心总是这么想。

长期专注于一行一业，愚钝者变为非凡人

然而，经过40年再看，那些年轻时被看作迟钝、愚钝的人，已成长为优秀的领导人。

青年时期看起来似乎愚钝，但是长时期专注于一件事情，在持续不断的努力过程中，他们变成了优秀的人才。

对于这样的人，我过去对他们抱有成见，以为他们没有出息。对此我感到羞耻。由于过去的偏见，我很想向他们道歉，说一声对不起。

现今的京瓷，有很多一流大学毕业的高才生进来。但是迄今为止，京瓷的重要干部中，只有高中学历的人比比皆是。因为他们在长期的工作中造就了优秀的

人格，他们率先垂范，带领员工不断把企业发展壮大。

各行各业所谓的名人、高手，他们在达到这个境界之前，无不踏实努力、孜孜以求。一开始就聪明能干，能一举取得成功的天才并不太多。我认为，一辈子专注于一行一业，不厌其烦、终身努力的人，才能成为名人、高手。

在中小企业受斥责还能干下去吗

人心这东西，不加磨炼就不会变好。所谓磨炼，就是在反复的辛苦中努力不懈。因为是人，无论做什么，不知不觉中好逸恶劳之心就会油然而生。克服懒惰，锤炼自己，这就是磨炼心志。造就了这种成熟的心态，离开受人追捧的体育界，回到普通人的社会，做人做事也能游刃有余。

不仅是J联盟的选手，那些20岁出头就拿着三四千万日元高薪的职业运动员，过了30岁就不得不退役。这样的人去中小企业就职，月工资至多也就20万日元，而且在工作中，还不免经常受到上司的斥责。

但这些人年轻时被骄纵惯了，自尊心比别人强一倍，其中没有吃过多少苦头的人，遭到几次责骂以后，就会心怀不满：“我是傻瓜啊，这样的中小企业能干下去吗？”于是辞职。而到别的中小企业遭遇也一样，到哪里都无法工作。

但在当运动员的时候，如果已经造就了成熟的人格，这样的人来到刚才提到的中小企业中，看到社长辛苦工作的背影，就会说：“社长，有我可以帮忙的地方吗？我什么都干。”就会产生与社长同甘苦的情感。这样就能与日夜操劳、努力奋斗的中小企业经营者建立起信赖关系。

大家齐心协力、拼命工作，公司就不断发展，这时候此人也许会成为企业的重要骨干。

还有一部分人，认为收入太低，在中小企业做事太愚蠢，要自己办事业，那又会怎样呢？比如开餐馆，人格不成熟的人也不会成功。开餐馆最要紧的是在客人面前低头，不管多忙，对客人都要笑脸相迎，要满足客人的各种要求。同时为了节省人工费，自己还要洗刷碗筷。

作为职业选手风光一时的人，要在客人面前低头、要洗碗洗筷，实在难以做到。但是，如果年轻时历经劳苦，在逆境中锻炼过，具备了优秀人格的人，他们会跟曾经的荣光一刀两断，在新的环境中再度奋起，拼命努力。

所以，我对火鸟 FC 的运动员反复说过：我希望你们在离开足球、踏上新的漫长的人生道路的时候，能够自豪地说：在火鸟 FC 期间，我成就了自己优秀的人格；不踢足球后，到中小企业做事也好，自己开餐馆也好，我都能让周围的人喜欢。凡火鸟 FC 出去的人到哪个领域做事都能顺利，社会能如此认可我们这个团队，我认为，这也是我对你们这些年轻人的责任。

为他人着想最重要

上面我反复讲到，人的命运可以由自己的想法和努力来改变。即使至今运气一直不好，只要坚持想好事、做好事，命运就一定会向好的方向转变。

那么，这个“想好事”是指什么呢?

人们常说“利己”和“利他”。说那个人是利己主义者，就是说，别人怎么样他不管，只要自己好就行。

而利他与利己正好相反。无论做什么事，不是只顾满足自己的欲望，而是同时也能为自己以外的人着想，这就是利他。比如，人们为了实现自己的理想，会向神佛祈祷，提出请求，这就是自利，即为了实现自己的目的而祈求的行为。这也无可厚非。但是，同样是祈祷，如能进一步，“希望保佑病中的母亲”，这种为亲人祈祷的行为，比起只为自己祈祷许愿，就是向利他接近了一步。

再进一步，还有为友人、为社会、为国家、为人类这种更为利他的祈祷。

这样，随着祈祷对象的扩大，这种祈祷、请求的性质就发生了变化，不是自利的祈求，而接近利他，即为了关爱自己以外的他人而祈求了。

祈求“要发财”“要健康”变成了祈祷“世界和平”，就是从自利的祈祷变成了利他的祈祷。希望年轻人务必好好理解这个利他之心的重要性。

在地狱的人和在天堂的人

我们在日常生活中，往往不由自主，只是依据自己的得失、胜负而采取行动，就是说被利己心所左右，无意中只为自己个人考虑。但是，大家都成了这样的人，就像当下的日本一样，不管经济如何富裕，世道却陷入了混乱。我不断向许多人强调，要使社会变好，就不能被利己心控制，而要提倡“即使付出自我牺牲也要为对方尽力”这种利他之心。

关爱他人的利他之心有多么重要，佛教中有如下通俗易懂的故事。

有一天，一位在寺院修行的行脚僧向寺院的长老请教：

“听说在那边的世界里有地狱和天堂，这是真的吗？如果有的话，那到底是什么样的地方呢？”

长老答道：“当然，那个世界里确实有地狱和天堂，但是它们的差别没有你想象的那么大。从外表看，地狱和天堂完全一样，区别只在于住在那儿的人的心不同。地狱是那些只顾自己的、利己的人住的地方。而充满关爱心、利他心的人则住在天堂。”

行脚僧又问：“为什么仅仅因为人心的不同，就分出了地狱和天堂呢？”

对此，长老讲述了下面一个故事。

对于终日修行的行脚僧来说，面条就是最可口的盛宴了。在屋子的中央放着一口大锅，锅里煮着美味的面条，各人面前还放着调料。

不过吃法上有规矩。用的筷子有1米长，必须手持筷子的一端。到这里为止，地狱和天堂完全相同，就是说锅的大小，围着锅的人数都一样，只是坐在那儿的人的心灵不同。

“你想象一下，在那儿会发生什么情况？”长老问道。

大家都饿极了，美味的面条就在面前，有人说：“好了，大家可以吃了。”这时候到底会发生什么事情呢？

地狱里的人，拿起1米长的筷子就想沾上调料往自己嘴里送，但因为筷子太长，无法送进嘴里。对面的人看了就生气，心想哪能让这家伙先吃了呢。于是就用筷子去争抢他夹住的面条。这样，一幅你争我夺的惨烈画面就出现了。结果美味的面条撒了一地，谁也没能吃上一口，大家都陷入“饿鬼道”。这就是地狱。

但是，住在天堂里的人都充满关爱之心，他们会说：“面条煮好了，让我们一起享用吧。”说着，用筷子夹起面条，沾上调料，送到对面人的嘴边，说一声：“请您先吃吧。”坐在对面的人说：“味道好极了，这次我夹给您吃。”夹了面条送给对方。结果面条一点都没浪费，所有的人都开心地享用了面条，彼此双手合十，互致谢意。

“这就是天堂，但外表与地狱毫无区别。”长老告诉行脚僧。

这个故事说明，只因为心态不同，同样的事情会有截然不同的结果。只要大家抱着关爱心、利他心去处理事情，就像这个故事中的天堂一样，我们可以构筑起一个极其美好的世界。

理想一定能实现

下面，我再论述“理想”或者说“心态”的重要性。

现代社会充斥着近代科学带来的便利物品，比如汽车、家用电器、电脑等。这种物质文明的由来根植于欲望的理想，就是人们总想着“希望有这样的东西”“如果有这种东西该多好啊”。然而，这种物质文明畸形发展的结果却让社会失调而走向没落。如果是这样的话，那么建设一个更加美好、更加和谐的社会，就需要根植于善念、根植于美好理想的精神文明的发展。

“善念带来善果”“美好理想带来美好结果”这一真理，人们从概念上也知道。中国有“积善之家必有余庆”这样的古训。意思是思善、积善的家庭一定会有好运，多积阴德，幸福就会降临。这样的教诲能够在社会上长久流传，是因为从前的人们都懂得并相信善念能够带来善果。

尽管人类有这样的传统，但到了现代社会，同创造了物质文明的根植于欲望的理想比较，美好的理想、善念就不再受到人们强烈的关注。

我认为原因在于，善念要产生善果，美好理想要产生美好结果，往往需要花费很长的时间。就是说，想好事、做好事和好的结果之间有一个时间差，可能是 1 个月、2 个月，也可能是 1 年、2 年，甚至 10 年、20 年。

与此形成对比的是，促使物质文明发展的根植于欲望的理想，只要设立具体的目标，就可以去实现。

因此，长期以来，与物质文明相比，人们往往忽视了对纯粹的精神活动的追求。但是现在，根植于欲望的物质方面的理想畸形膨胀，又反过来促使人们加强了对纯粹的精神活动重要性的认识。我想，年轻人这方面的意识也在逐步增强。

比如，年轻人也开始关心环境问题，参加公益活动，希望社会变得更好。这一倾向预示着世界光明的未来，看到这一点，我感到很欣慰。

宇宙的意志和善念

这种将人类引导到更好方向的善念，我想换一种说法就叫利他之心，再换一种表达方式，就是一种为社会、为世人尽力的精神。每天每日实践利他思想，也就发掘出了人的本质。为什么这么说，因为人的本性中原来就具备为别人效力的利他之心。而且我认为，整个宇宙中也充满着“为他人好”这种利他之心或者叫作爱。

据说宇宙在距今130亿年前，不过是极小的一块高温高压的基本粒子团块，这团块发生大爆炸才形成了现在的宇宙。根据宇宙物理学最先进的理论，这个宇宙至今还在不断地膨胀。在这个过程中我们人类诞生了，并进化到现在。宇宙中的基本粒子结合组成原子，原子组成分子、高分子，后来又产生遗传因子，出现了生命体，生命体不断进化，形成了今天的人类。

基本粒子保持基本粒子的原状、原子保持原子的原状本也无妨，为什么这一切都不断成长发展，最终产生了人类呢?

我认为，在宇宙中流淌着一种“气”，这种“气”将一切事物都朝着好的方向推进。或者说，宇宙中充满着一种爱，对一切事物都关爱，将一切事物都引向美好的方向。

回顾宇宙生成发展的过程，我们不能不得出一个结论，宇宙中存在着一种法则，它将包括无生命物体在内的一切事物都朝着好的、更好的方向推进。这种法则我想也可以称之为宇宙的意志。

我一生中曾为许多事情烦恼，在烦恼中深入思索得出的结论就是：人心中所想、人所实践的事情，如果与宇宙本身就持有的、使一切事物朝好的方向前进的宇宙的意志完全一致的时候，事情就会非常顺利。相反，只要自己好就行，自己以外的别人怎么不好也与我无关，如果持有这种与宇宙本身的意志相反的恶念，那么事情就不会顺畅。

如果是这样，我们就必须做出努力，让自己持有为他人好的、充满慈爱的利他之心。

人生的目的在于磨炼心志

大家也一样，无论是谁，年轻时都会在心中描绘将来的理想：自己想走这样的人生道路、自己想成为这样的人。

我在鹿儿岛大学读书时，就希望自己将来成为优秀的技术人才，有了不起的发明创造，甚至获得诺贝尔奖。

创建京瓷以后，就想把京瓷办成一个出色的公司，希望员工们都能在公司里愉快地工作，并为此努力至今。很幸运，作为技术者，作为经营者，我都算取得了成功。

但是，我也终将迎来死亡。人一旦死亡，没有什么东西可以带往那个世界。我创建了京瓷，创建了KDDI，又设立了“稻盛财团”，这一切又怎样呢？

还有，究竟为了什么，我拼命努力直到今天？人生的目的到底是什么？我已经多次讲过，人生的目的，不是在今世获取地位、名誉、金钱，而在于把自己的心灵磨炼得美好一点。这个目的也符合刚才所讲的宇宙的意志。

来到这个人世，本不是出于我自己的意志。而且在这70多年的人生中，我遭遇过灾难，也拥有过幸运。我认为，人生的目的就是在灾难和幸运的考验中磨炼自己的心志、磨炼自己的灵魂，造就一颗美丽的心灵。这是我的人生观。

扩展人类本性中的善念

我希望在21世纪，人们都能意识到善念的重要性。

本来，日本民族具备孕育利他精神的传统。日本的气候四季变化分明，不像干旱的沙漠或冻土带那么严酷。日本人依山傍海，在温和的自然环境中生活。这样富裕的环境，造就了日本人优雅的精神层面。

在阪神大地震时，受灾的人们互相谦让、互相帮助。日本全国许许多多年轻的志愿者赶来支援。这种情况受到了全世界的赞赏。我认为，这就是关爱他人、互帮互助的日本传统精神的体现。

进入21世纪，毫无疑问，物质文明还将继续进步。但是，基于善念的精神文明也必须继续发展，以免两者失衡。在精神文明的进步过程中，具有优秀传统的日本人应该在世界上起到带头的作用，抱着善念生活。而且，日本人如果能在世界上率先创造一个文明优秀的社会，那么，日本就一定能受到全世界的尊敬。

日本应成为富而有德的国家

以前，我参加过制订日本行政改革计划的“第三次行革审”，并担任“世界中的日本”部部长，即思考日本在全世界的作用的部门负责人。

从那以后，在我的心里，21世纪的日本应该成为受世界其他国家尊敬的国家，这一愿望十分强烈。具体的形象，应该像从前日本地方上村镇里的“素封家”。

所谓“素封家”，不具备公职，从前日本农村中有相当于现在村长的“庄屋”“代官”这些具有政治权力的武士。

由这些武士负责地方行政工作。但另一方面，他们没有任何权力和地位，依靠他们自身的人格、器量、见识，在地方上发挥实质性领导人作用，这就是“素封家”。土地比别人略多、有学问、有教养，更重要的是人格高尚、性情丰富，这是“素封家”的形象。因为人品好，村民有疑惑时就会去“素封家”那儿讨教。同时“素封家”也会主动从物质和精神两方面帮助贫困的村里人。同时，他们又不会显耀权力，狂妄自大。

今后的日本，在世界上不应该只是经济大国，即不只是财主，更不应该是军事大国，即不是暴徒，而是充满利他之心的“素封家”，一个富而有德的国家。这是我的祈愿。如果日本能够成为这样的国家，就一定能赢得全世界的尊敬。而实现我理想中描绘的日本，要靠正在阅读本书的年轻的人们。

到这里为止，我在本书中反复讲述了“理想一定能实现”的道理。务请大家相信这一点，拥有崇高的理想，勤奋努力，专心致志。这样，大家就一定能够度过美好的人生。在搁笔之时，我衷心期望年轻人在21世纪大显身手，担负起日本乃至世界的历史重担。

附录一　学生的读书心得及稻盛评语

一、我的理想是“冰上药剂师”

野添　女　18岁

前年，我的祖父因心肌梗死病倒住院。除长期服用的治疗糖尿病的药物之外，医生又开了许多新药。我们要求医院对这些药物做具体说明却得不到答复，祖父的血糖值不断上升，祖父和家里人都很担心。这时我想，如果身边有能对药物的效果和副作用作详细说明的药剂师该多好啊。于是我产生了要当药剂师的愿望。

我想，如果药剂师了解患者的病情，协助医生一起帮助患者消除疑虑，这对他们恢复健康将十分有益。只对病抓药而对病人不闻不问，这种机械式的治疗已经不合时宜。应该与病人进行交流沟通，提供信息，给予他们精神上的关怀。站在患者的立场上，倾听患者的烦恼和担忧，给他们出主意，让他们脸上增加笑容。我就想当这样的药剂师。

现在，有许多疾病仍然难以治疗。比如，治疗癌症的药物还很不完善，副作用很大。再比如，随着社会老龄化的发展，很需要对老年痴呆症、骨质疏松症有显著疗效的药物。同时我希望能开发出对抗艾滋病、SARS 等新病原体的药物，帮助与这些病魔做斗争的人们。

幸运的是我考上了理想的大学，但这段经历很艰难。在升学考试期间，我作为花样滑冰的选手，要代表本县参加全国运动会，赛前必须训练，而鹿儿岛的溜冰场只有冬天能用，为了训练需要去福冈。复习迎考和体育训练同时进行，非常劳累。这时，稻盛的这本书给了我力量。

“重要的是要坚持自己的理想。”“体育界也是一样，那些不怕吃苦、不断战胜困难的人，他们会产生人格魅力。”“人生的目的是要成为一个好人。所谓好人就是具备美好心灵的人。所谓美好心灵就是关爱他人之心。”这些话激励了我。

还有“努力”这个词也在时时触动我。我所上高中的创办人江角先生以及老师们也叫我要努力。我们的校训是“别人厌烦我乐意”，它的意思是只要有一颗关爱他人之心，再艰苦的工作自己也愿意承担，而且很高兴地去干。这个世界上凡是成功的人，都从自己的工作会对他人有利这一点出发。迄今为止，我也多次遭遇过大的挫折，有时也考虑过放弃，认为“自己已经不行了”。但说出“不行了”这种泄气话就等于自己放弃了“行”的可能性。我在父母和朋友们的鼓励下，努力至今。考大学、参加全运会，我都做到了。今后，我在向药剂师的目标努力的同时，一定要继续我的冰上运动。

稻盛评语：

助人为乐的理想与成功相连

很精彩的感想文。听你的话，让我想起我小时候的事。

你是因为祖父心肌梗死病倒，然后想到要走药剂师这条路。我在小学六年级到上初中时，患上肺结核，遭受死亡的威胁，因此我想自己长大后要发明治疗肺结核的药物。当时肺结核是不治之症，但我就想发明对症之药。

为此，我报考大阪大学医学部药学专业，但考试失败，进了鹿儿岛大学，在鹿儿岛大学我选择化学专业，目的仍然是制药。我一边想起这事一边听你的发言。

你想当药剂师，但是一边练习花样滑冰一边复习迎考，同时要做两方面的努力，而辛苦奋斗的结果，是考上了理想的大学。

你谈到高中的校训，“别人厌烦我乐意”这个校训非常好。受这样的校训的熏陶，在这样的学校接受教育，而你又从正面理解，把它的精神变成了自己的东西，真的很了不起。

你又说：“这个世界上凡是成功的人，都从自己的工作会对他人有利这一点出发。”你说得很对。从要治愈祖父的愿望出发，你立志要当一名药剂师。这种关爱他人的理想，一定会让你成功。祈望你成为优秀的药剂师。

二、从现在开始，相信自己！

野上田　女　13岁

泪流满面，沾湿双手——这就是两年前的我。我小学五年级时，音乐老师大西先生来校任教，在他的影响下，我进了学校吹奏乐器部爵士乐队。从听到爵士乐的第一天起，我就彻底成了爵士乐的俘虏。但是那时，我还没有任何有关的音乐知识，感到很无力。

在乐队里我担任鼓手，但实际上几乎没有接触大鼓的机会，只能双手握住鼓槌敲击旁边屋里的桌子，算是基础性训练。有几次我都想甩手不干了。但第一次轮到我演奏时，我兴奋得跳了起来。我心想能坚持下来真好。

在这本书里稻盛先生这么说："工作成果带来的感动，给我注入了新的热情和生活的勇气。即使是一点小小的成功，我也会从内心感到喜悦，我要拥有一个乐观开朗的人生。"

每当演奏成功时，我的心因感动而颤抖。"再加油！要继续努力！"勇气从中而来。在别人看来，这也许微不足道。但对我来说，因为自己的努力首次获得别人的认可，我真的非常高兴。从那以后，我天天都要练习爵士乐，从不停歇。在心烦的时候，只要和同学们演奏一个曲子，兴奋就会激励我。一年后，我作为乐队骨干之一参加了全国性音乐比赛，站在舞台上，我全身心投入，心醉神迷，结果我们获得最高演奏奖。

我被稻盛先生下面一段话感动得流泪："一步一步地积累会产生魔术般不可思议的几何级数变化的效果。每一天扎实的努力所产生的小小的成果，会催生进一步的努力和成果。"这话说得太好了。我现在是初中一年级，过去认真练习爵士乐，这已成为我生活的一个重要部分。但是，我自己究竟适合干什么？将来到底能干什么？我还不知道。课外活动方面我又加入了网球组，网球也是越打目标越高，越发投入。我还想学习英语，如果将来能在世界性的舞台上工作该有多好啊！同时，我又想当被孩子们包围的慈爱的母亲。

现在的我理想有点不着边际，有点“贪得无厌”，但同时又缺乏自信，我正在自我探索之中。

但是在书中稻盛先生教导说：“人生没有捷径，现在做的事情虽然一点都不显眼，但是这么踏踏实实、一步一步地积累，看起来像尺蠖虫，但到时应该会产生出色的成果。”我坚定地相信这句话。另外，我虽然还小，但已有在乐团努力的经验，相信自己，我会努力过好每一天。

稻盛评语：

参加爵士乐团，拼命击鼓，在这过程中，读到我书中一段话，深受感动。就是说，得到别人的一点认可，有一点小小的成功，就会感动、感恩，心里涌出热情，这样的人生会很幸福。长时间没有演奏机会，只能用鼓槌敲桌子。但初次演奏就很开心，那是真心的欢喜。从微小的事情上就能感受幸福，有这样一颗能感受快乐和幸福的心非常重要。你从书中学到了这个道理。

然后参加全国性音乐比赛，获得最高演奏奖。这种成功来自平时一步一步踏实努力的积累，你从自己切身的体验中感受到了这一点，所以对我书中的话产生了深深的共鸣。

我觉得野上田拥有美好的心灵。想练网球，想学英语活跃于世界，还想当被孩子们包围的慈爱的母亲。这些都是女孩子拥有的美妙愿望。我相信你现在描绘的理想一定能实现，你一定能成功。期望你好好努力。

三、只要努力我也能成功

久保　女　9岁

因为稻盛先生努力而成功了，所以如果我努力也能成功。

“只要满怀希望，持续不断地努力，人生之路一定光明。”稻盛书中这句话我最喜欢，因为只要我也抱着希望去努力，我的理想或许也能实现。

稻盛先生是京瓷这家大公司的创始人，京瓷公司我也知道。让我吃惊的是，稻盛先生开始也并不出色，考初中两次都没考上，小时候生病还差点死去，考大学又失败，还进了一家快倒闭的企业。如果我像他那样，我会更加悲伤，会觉得再努力也是徒劳。但稻盛先生没有气馁，没有放弃，他拼命努力来挽救企业。我认为他很伟大、很了不起。

过去我一直不敢发表演讲，生怕说错了让人笑话。现在我想努力把自己的意见表达出来。

在三年级第三学期的开学典礼上，我作为儿童代表，要以《第三学期的目标》为题发言。发言内容必须全部记住。我练习多次都失败了，中途就想放弃。但我还是拼命记忆。结果正式上场时表现很成功，大家一起鼓掌，我非常高兴。此后我经常发言。这样一来，学习兴趣也浓了。

稻盛先生小时候是同我很像的普通人，因为付出了很多努力，现在才有了很大的公司。

我的理想是将来当一名播音员，将各种各样的信息传播给许许多多的人。现在看来这是一个很大的梦想，但只要我满怀希望、拼命努力，我相信一定能实现。

为了当播音员，现在可以做的，就是要多发言。播音员的工作就是要在许多人面前讲话，不怕难为情，大声地、充满自信地说话。我要为此努力加油。

我还要努力学习，为了能同各种人交流，知识越多越好。

还有，讲话姿势要好，要讲得清楚明白，让人一听就懂。为了达到这种水平，我要好好练习。

朝着理想加油!

稻盛评语：

描绘梦想，努力实现

很精彩的读书心得。

我认为小久保是一个非常聪明的孩子。我小时候不及你这么聪明。你不仅聪明而且非常努力。将来想当女播音员，描绘这个理想，准备不懈努力；为实现理想，还准备学习各种知识、提高素养；还想掌握讲演的本领。现在你已经想到这么多，真的很了不起。我想你一定能成为优秀的播音员。加油吧!

四、“命运女神”让我读到这本书

山本　男　13岁

我在读这本书之前，对自己的愿望、理想是否真的能实现抱怀疑态度。我有过许多愿望，比如希望吵架、欺凌事件能够消失。读这本书让我想起许多事情。

我从小学二年级开始就进了儿童收养中心，吃了不少苦，经常受人欺负。当时我只是希望不要再吵架，玩游戏时不受人欺负。

现在我已经初中一年级，吵架虽少了，但学习成绩不好，每天的生活似乎以课外小组的活动为主。这时候收养中心的老师让我读这本书。翻开第一页，前言里“只要满怀希望，持续不断地努力，人生之路一定光明”，这句话一下子打动了我，让我顿生感谢之心。

一直以来我心情抑郁，也不努力，不知道自己该怎么做。这本书给了我启示。我现在的状况都是因为自己总是困惑、不知道出路、情绪消极，所以读这本书我感触更深，觉得书中所说都是针对自己而言的。我懂得了自己必须更加努力，全力以赴做好眼前的事情。这本书把我从矛盾、痛苦、抑郁的情绪中拯救出来，使我变得开朗。

书中稻盛先生还讲到了他自己的人生经历：升学考试失败，在复习迎考时患上肺结核，好不容易就业却进了一家连续亏本的企业。真是够呛。但是稻盛先生说，在“命运女神”的支持下，自己没有悲观失望，而是坚持努力。我没有找到“命运女神”，但“命运女神”却来到我的身边，让我读到了这本书。

最后，稻盛先生还说：“只要抱着做人的正确的思想，朝着目标，努力奋斗，理想就一定能实现。”我认为这是真理，所以我也要朝着目标，努力奋斗，实现自己的理想。我的理想是当一名网球运动员。

稻盛评语：

山本君的读书心得让人热泪盈眶，十分感人。

小学二年级就离开父母，进入儿童收养中心，吃了很多苦。处在那样的环境下，难免心情抑郁。受别人欺负、被迫吵架，发生各种不愉快的事。尽管讨厌这种生活，但各种不幸还是不期而来。

一边听你说，我一边想起自己的事。我出生成长在鹿儿岛市，战争时期，那里被炸成一片废墟，我的家也被烧为灰烬。用几根柱子支撑，建起了简陋的小屋，我们一家人就住在里面。因为贫困，日子过得非常艰辛。但父母关系很好，兄弟姐妹一个不缺，和睦相处。因为我在这样的环境中长大，所以听说你从小就离开父母，精神上的创伤我难以想象。你真的很不容易，很努力。

在逆境中读到这本书，你说，稻盛先生每次都有命运女神帮他，你有机会读这本书也是命运女神在帮你。这说明你有一颗美好的心灵。通常情况下，有父母照顾，在优越条件下成长的孩子容易任性。你小小年纪就离开父母，在收养中心拼命努力，不怨天尤人，而是朝前看，希望成为一名网球运动员，并为此努力奋斗。我想，如果我处在你那种境地，恐怕忍耐不住那样的寂寞。所以你有一颗美好的心灵，读了这本书，你的心灵会变得更加美好。

今天你特地从兵库县播磨来到这里，谢谢你。我想收养中心的老师会很高兴，收养中心的伙伴、兄弟们也会很高兴。

其实，去年我在京都也开设了一家收养中心，其中还有乳儿院，可收养婴儿 20 人，另外可收养从小学到高中的孩子 60 人。现在还只收进了一半到七成的小孩。办收养中心的目的就是给这些不幸的孩子亲切的关怀，同时培养他们，希望他们长大进入社会后成为优秀的人才。我这次回去后要到中心去，把你刚才讲的话转告给他们。

世上有的工作只有像你一样从小吃过苦的人才能承担。你将来一定能成为一个优秀的、了不起的人。加油！

附录二　失足少年的读后感

一、相信自己、相信未来，竭尽全力，坚强活下去

失足少年甲

刚拿到这本书时的第一感觉是，这可能是一本难读的书，对自己能否认真读完它缺乏自信。但实际阅读时发现，内容通俗易懂，作者稻盛先生的见解和希望传递的思想，我都能理解。而且他谈到的许多情况我也有同感，不知不觉中就着了迷，用心地读了下去。

我一边读这书，一边时时同自己对照、比较。这不仅是值得一读的好书，而且是一本引人深思的好书。

特别是因果法则、天风的思想、作者的方程式、释迦的六波罗蜜，对于我来说，简直是重大发现。

发现这些宝贵的思想，以此为借鉴，努力奋斗，自己也能获得幸福。我开始这么想，而且深入思考。但是对自己将来会怎样，仍然无法想象。

但是书中写着："在你的未来中，幸运正在等候你，请相信这一点。"虽然这过程中会有困难，但我决定相信自己的未来。

过去，我总认为自己是倒霉鬼，无论我怎么做，幸运也不会降临到我的头上，因而"破罐子破摔"、自暴自弃，结果招致了失败和挫折。读了这本书，我下定决心，相信自己、相信未来，竭尽全力，坚强地活下去。

二、不屈服于逆境，朝前看，坚持不懈地努力，就能成为一个有价值的人

失足少年乙

一看前言，我就产生疑问，人的理想一定实现，能这么讲吗？但阅读过程中，我意识到了人的心态、利他之心的重要性。同时，即使身处逆境，只要付出不亚于任何人的努力，自己的人生一定会朝好的方向转变。

稻盛先生在本书中回顾了自己的人生。我读到这一节，知道了他曾经历过难以想象的挫折。肺结核、

大空袭，初中、大学、就业考试都不合格。但这过程中他遇到了几位好心人，靠他们的鼓励才有了现在的稻盛先生。

我在自己人生的 16 年中，也遭遇了父母离婚等一系列挫折。我对社会产生了偏见，以致成为失足少年。这本身也是一种挫折。但是现在我强烈地感觉到，应该把这些挫折看作“神灵给予我的考验”。我之所以犯错误，就是因为我只考虑自己，自我封闭，一味抱怨为什么自己会这么倒霉。如果把失败和成功都看作考验，有正面的想法，努力向前，我人生的前景也一定是光明的。

另外，稻盛先生还发明了“人生・工作的结果 = 能力 × 热情 × 思维方式”这一方程式。我没有稻盛先生那样的能力和热情。但是思维方式和热情真的可以由自己决定。我也要在正确的思维方式下，发挥出自己的热情。

还有，我也懂得了，自己心中描绘什么，思考什么，用什么思维方式去生活，决定了自己的人格、人性。特别是中村天风的人生观给了我勇气，让我明白了，只要保持良好的心态就能走上幸福的人生之路。

我打算将来从事福利事业，帮助那些进不了公立养老院的老人。但对于这个愿望能不能实现，我缺乏自信，曾中途放弃。但是现在我想，这不是能不能实现的问题，而是要看自己是否怀抱善念，是否有利他之心，这才是最重要的。

稻盛先生不管被逼入何种境地，都能积极向前、不断努力。而我呢，预见到不顺利就不再努力，一旦处于逆境，什么都从负面去想，心情抑郁，甚至考虑自己为什么要活着。但是，稻盛先生教会我要把挫折看作“神灵赐予的考验”，在考验中磨炼自己。而且，即使挫折、即使失败，只要坚持努力，前面一定有顺利和成功——我要抱着这样的信念去生活！

同时，不能忘记，不仅坏事是考验，好事也是考验。失败挫折不等于结束。美好的前景在等候着自己。相信这一点，努力奋斗，必有好报。但因成功而忘却谦虚又必定会失败。我想绝不能忘记这些道理。

我读了这本书受到很大的激励。在现代的学历社会里，人格、人性好像不重要了。但实际上，正是现代社会，才更需要优秀的人格和道德。我很希望完善自己的人格，丰富自己的心灵。我现在懂得了，即使像我这样犯了错误的人，只要自己思善行善，不屈服于逆境，积极向前、持续努力，也能够成为有价值的人。

今后，我要拥有利他之心，切实提升自己的人格，用开朗的心境面对生活。

稻盛先生，谢谢你这本好书。我有幸读到，非常喜欢。我要带着感动，走向未来的人生。

三、读了这本书，过去动摇的想法变成了坚定的意志

失足少年丙

寄来这本书，深表感谢。

读这本书，对今后如何改变自我有了信心。

现在我在少年教养院受教育，将来回到社会上，该怎么做，我想了很多。我不想再次犯罪，但对这个想法，对我将来想做的工作，对做的过程中会不会顺利，会不会再犯错误，我仍然有许多担心。

但是读了这本书，我上述担心有所消解。书中有

“与其胡思乱想，为将来的事情烦恼，还不如精力充沛、无怨无悔地度过今天这一天”。这话讲得对，我的担心消除了。

书中还有“想法决定人生”这样的话，也说得很对。我因为遭遇不幸、经常碰壁，就埋怨别人、憎恨社会。“为什么只有我如此不幸？”正是这种不好的想法把我的人生引向坏的方向，以致犯罪。

然而，正如书中所说，如果把不幸和苦难看作神灵给予的考验，看作磨炼自己、使自己更快成长的动力，就会不断努力去克服它们。我现在患病在身，但我想，前进的道路上令人讨厌、让人痛苦的事或许还有很多。这些都是考验，我不应逃避，要正确面对。

另外，我只有初中毕业，头脑不聪明。但是书中说“人的价值由人的心灵决定”。这句话给了我勇气。迄今为止，我头脑愚蠢再加上心灵肮脏，是一个恶劣的人。从今以后，我头脑虽然依旧愚笨，但在思想观念上将与前不同，绝对不再加害于人。回到社会后，会对过去给别人造成的伤害做出补偿，尽可能为别人多做贡献。

同时，与人为善，并保持谦虚，有了成绩不骄傲。这样做与其说是为别人，不如说是为自己。辛苦、烦恼是活着的证据，克服它们，这就是人生。

我曾经给许多人、给社会造成伤害。今后再也不凭欲望冲动行事，再也不向安逸方向逃避，而要时时意识到“布施”之心。

读这本书真好！它好像是针对我的困惑和烦恼而写的。而且这是一本极好的人生教科书，让我在人生各个方面受益匪浅。

我对未来已经抱有乐观的态度，我将努力奋斗，认真过好每一天，积累每一天小小的进步。我相信，对他人的关爱之心一定会使我的人生出现转机。读了这本书，过去动摇的想法变成了坚定的意志。我不可能有本书作者那么灿烂的人生，但我会朝着这个方向，怀抱理想，竭尽全力，为社会、为世人、为自己而顽强奋斗。在这个时候能读到这本书真是太好了。

谢谢！

四、人生只有一次，一定要努力度过——我从内心下定了决心

失足女少年

你的理想一定能实现，刚读到这一句话时，说实话，对“真的能实现吗”我抱有疑虑。但读着读着，对“一定能”就逐渐有了信心。

但是我强烈地感到，为了“实现”，仅仅停留在“理想”阶段是不行的，还要得到周围人的支持、帮助。但光有这些还是“实现”不了，还要加上努力，加上坚韧不拔，才能走向“实现”。

而且我还认为，在“实现”的过程中，会发生各种各样的事情，事情不能如愿进展——艰辛、痛苦、烦恼会不断出现，但要不断思索，经常向别人学习，在克服障碍中逐步成长、成熟，学会运用这个过程中产生的智慧。只有这样，理想才能实现。

过去，我对自己所处的环境、对自己不幸的人生，内心极为不满。“为什么就我这么倒霉？”“我如此困难，如此痛苦，为什么没人帮我？”我不是憎恨某个具体的人，而是憎恨这个社会。我无法克制这样的情绪。结果就来到少年教养院。

到这里后，我回顾自己的过去，反省并正视自己，我意识到，正因为我对人生不抱希望，正因为我思想消极，才有了这样一段消极的人生。

人生只有一次，一定要拼命努力，我从内心产生了这样的想法。神灵一定会看到我的努力和坚持，一定会在今后的人生中赐予我幸福。读这本书后，我重新认识到，每个人的人生都是公平的。我从此开始新的人生，这本书给了我力量。

谢谢！

图书在版编目（CIP）数据

活法：青少年版. 你的梦想一定能实现：小开本 / (日) 稻盛和夫 著；曹岫云
译. — 北京：东方出版社，2019.2
ISBN 978-7-5207-0063-4

Ⅰ. ①活… Ⅱ. ①稻… ②曹… Ⅲ. ①人生哲学—青少年读物 Ⅳ. ①B821-49

中国版本图书馆CIP数据核字（2017）第316035号

活法青少年版：你的梦想一定能实现（小开本）
（HUOFA QINGSHAONIANBAN: NIDE MENGXIANG YIDING NENGSHIXIAN）

作　　者：［日］稻盛和夫
译　　者：曹岫云
责任编辑：贺　方
出　　版：东方出版社
发　　行：人民东方出版传媒有限公司
地　　址：北京市东城区东四十条113号
邮　　编：100007
印　　刷：鸿博昊天科技有限公司
版　　次：2019年2月第1版
印　　次：2019年2月第1次印刷
印　　数：1—10 000册
开　　本：787毫米 × 1092毫米 1/32
印　　张：8.125
字　　数：110千字
书　　号：ISBN 978-7-5207-0063-4
定　　价：48.00元
发行电话：（010）85924663　85924644　85924641